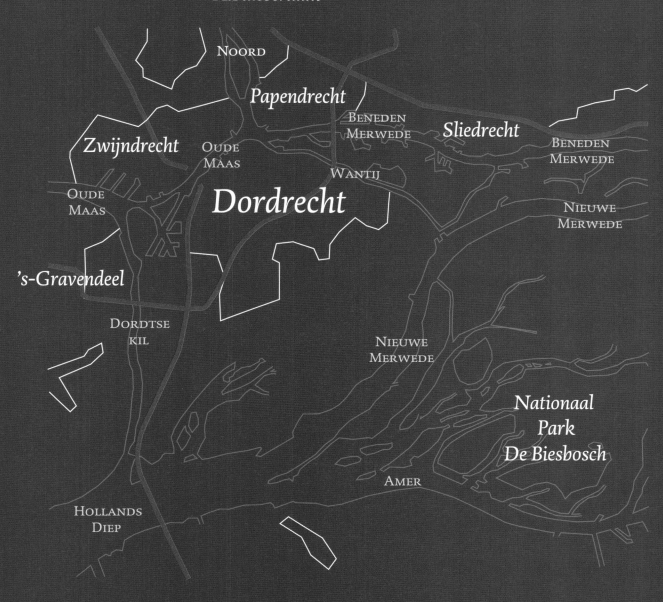

Dordrecht

Verscholen stad tussen rivieren
Town hidden between rivers

tekst/text **Frits Baarda**

fotografie/photography **Marco de Nood**

Scriptum/De Bengel

Aangezicht van de stad, gezien vanuit Papendrecht.
View of the town from Papendrecht.

Stad aan het water

Town on the water

Stad aan het water

Niemand kwam ooit van boven, maar het is wel de mooiste entree tot het eiland en de stad. Van grote hoogte kun je de hoekige contouren zien van het wijde land tussen de rivieren, met op de meest noordelijke punt de stad. Oer-Dordtenaar en dichter Kees Buddingh' beschreef de ligging van zijn geboorteland al eens zo:

> Hier, op dit eiland,
> dat sinds lang geen eiland meer is:
> drie bruggen, twee tunnels,
> heb ik alles zich af zien spelen
> wat zich op aarde maar afspelen kan.
>
> In dit kleine pannekoekplatte driehoekje
> tussen Willemsdorp, Kop van 't Land en Groothoofd.

De namen markeren de grenzen van de bewoning, ofschoon de menselijke dichtheid van de ene tot de andere plaats enorm verschilt. Willemsdorp bestaat, evenals de Kop van 't Land, goedbeschouwd niet meer. Het is een lege naam op de kaart, vastgeklemd in de zuidpunt. Het was ooit een van de buurtschappen op het eiland, waarvan er vele in de tijd zijn verdwenen of door de gemeente Dordrecht opgeslokt. Willemsdorp is nu een onsamenhangende verzameling huisjes, boten en stacaravans op de hoek van het eiland, waar de Dordtse Kil en het Hollands Diep in een machtige beweging samenkomen. De bewoners van camping Het Bruggehoofd hebben er een mooi uitzicht op het brede water, met de Moerdijkbrug er langgerekt overheen. In de avond turen ze naar de honderden lichtjes van de Shell Chemie. Het voortdurende geraas van de auto's op de A16, die pal langs hun weekendwereldjes loopt, nemen ze aan hun Costa del Moerdijk graag voor lief.

De Bruggehoofders zullen pas echt gevangen zijn tussen verkeersbewegingen, als vanaf 2006 de eerste hogesnelheidstrein pal naast hen uit de nieuwe tunnel onder de Dordtse Kil omhoog

Town on the water

No-one ever arrived from above, but it is the best way to view the island and the town. From high up, you can see the angular contours of the land stretching out between the rivers, with the town at the northernmost point. Kees Buddingh', a poet born and bred in Dordrecht, once described his birthplace as follows:

> Here, on this island,
> That for so long has not been an island:
> Three bridges, two tunnels,
> I have seen everything happen
> That can happen on earth.
>
> In this little pancake-flat triangle
> Between Willemsdorp, Kop van 't Land and Groothoofd.

The names mark the boundaries of the habitation, although the population density varies enormously from one area to another. Willemsdorp, like Kop van 't Land, is no longer a separate place. It is just a name on the map, clinging to the southern point. In the past, it was one of the hamlets on the island, so many of which have disappeared over time or been absorbed into Dordrecht. Willemsdorp is now a scattered collection of houses, boats and mobile homes at the tip of the island, where the Dordtse Kil and the Hollands Diep converge. People who stay at the Bruggehoofd campsite have a magnificent view across the wide waterway crossed by the Moerdijk Bridge. In the evening, they can see the hundreds of lights of the Shell Chemicals complex and they put up with the permanent roar of the traffic on the A16, which runs alongside their weekend-world on the 'Costa del Moerdijk'.

The residents of Bruggehoofd will only really be completely surrounded by transport arteries from 2006, when the first High-Speed Train is scheduled to emerge

Water omringt en doorsnijdt de stad. De langgerekte Spuihaven scheidt de oude binnenstad van de nieuwere gedeelten. Erlangs ligt de Spuiboulevard, met het Stadskantoor. Aan de bovenzijde van de foto stroomt de Oude Maas, daarboven ligt Zwijndrecht.
Water surrounds and cuts through the town. The long Spuihaven separates the old town centre from the newer parts. Alongside it is the Spuiboulevard and the Stadskantoor. At the top of the photo is the Oude Maas and, above it, Zwijndrecht.

Een containerschip ontneemt vrij-
wel het zicht op (van links af) de
Bonifatiuskerk, Groothoofdspoort,
Grote Kerk en de NS-spoorbrug.
*A container ship almost hides the view
of (from the left) the Bonifatiuskerk,
Groothoofdspoort, the Grote Kerk and
the railway bridge.*

De torenspits van het oude stadhuis
weerspiegelt in het water van de
Voorstraatshaven.
*The spire of the old town hall reflected
in the water of the Voorstraatshaven.*

komt. Hij koerst met een topsnelheid van driehonderd kilometer direct aan op de langste stalen brug van Nederland, twee kilometer in volle lengte, die het Hollands Diep overspant. Een zucht van elf seconden, tussen Amsterdam en Parijs.

Aan de andere kant van de snel- en spoorweg begint een voor mensen ontoegankelijk deel van het Nationaal Park de Biesbosch, het Hollandse deel van het beschermde zoetwatergetijden-gebied. Het is de verblijfplaats van lepelaars, zeearenden en andere zeldzame vogels. Het natuur-gebied, door jarenlange werking van eb en vloed zo gevormd, loopt langs de oever van de Nieuwe Merwede versmald door en gaat via de Kop van 't Land vanzelf over in de Sliedrechtse Biesbosch. Daar kom je nog wel spaarzaam mensen tegen, vooral in kano's en fluisterbootjes. In het voorjaar varen ze langs rietkragen en moerasbossen. Verderop liggen landbouwgronden met onvergetelijke namen, zoals Hengstpolder, Engelbrechtsplekske en Ruigten Bezuiden den Perenboom. Het is een zeldzaam stukje Nederland zonder wegen. Tussen de weidekervel en grote pimpernel roept er 's nachts de kwartelkoning.

Het uitgestrekte kreken- en poldergebied van de Sliedrechtse Biesbosch vernauwt zich tot de zanderige oostpunt van het Eiland van Dordrecht, het domein van konijnen. Deze hoek van het eiland draagt de naam Kop van de Oude Wiel en wordt door mensen zelden betreden. Hooguit schuift wel eens iemand zijn zeilbootje op een van de strandjes van de rivieren die rond de land-punt stromen, onderlangs de Nieuwe Merwede en bovenlangs de Beneden Merwede.

Wie langs de noordrand van het eiland terug zou varen, ziet onderweg enkele boerderijen en dan het Helsluisje, dat bootjesmensen het gebied binnen laat. Vervolgens passeert hij het recrea-tiegebied de Merwelanden en het Amerikaanse chemieconcern DuPont de Nemours. De instal-laties beschijnen 's avonds het water en Sliedrecht, op de andere oever, met honderden lichtjes. Al gauw komt de brug naar Papendrecht in zicht.

Eerst is er nog die verdwaalde ruïne tussen twee insteekhavens. Het Huis te Merwede is Dordts oudste zichtbare monument, en toch lijken slechts weinigen zich om het verval te be-kommeren. De restanten zijn het beste vanaf de rivier te zien. Omstreeks 1300 moet de ridder-hofstad in opdracht van Dordtse edelmannen zijn gebouwd. Lang hebben deze Heren van de

De restanten van Huis te Merwede.
The remains of Huis te Merwede.

from the new tunnel under the Dordste Kil. At a top speed of 300 kilometres per hour, it will race towards the two-kilometre long bridge across the Hollands Diep, the longest steel bridge in the Netherlands. The train will pass in no time, a sigh lasting some eleven seconds, on its way from Paris to Amsterdam and back.

On the other side of the road and railway, there is an area of the Biesbosch National Park, Holland's part of the protected tidal fresh-water area, which is closed to people. It is the home of spoonbills, white-tailed eagles and other rare birds. The nature reserve, shaped by years of tidal action, becomes a narrow stretch of land along the banks of the Nieuwe Merwede and then crosses at Kop van 't Land into the Sliedrechtse Biesbosch, where there are only a few people, mainly in canoes and electrically-powered boats. In the spring, they sail past the reeds and wooded wetlands. Further along there are agricultural areas with memorable names such as Hengstpolder, Engelbrechtsplekske and Ruigten Bezuiden den Perenboom. It is an unusual part of the Netherlands, with no roads. The corncrakes call at night among the wild parsnip and greater burnet.

The extensive creek and polder area of the Sliedrechtse Biesbosch narrows towards the sandy eastern point of the island of Dordrecht, a realm of rabbits. This point of the island is called Kop van de Oude Wiel and is rarely visited by people. At most, someone will occasionally moor a sailing boat on one of the little beaches along the rivers that flow around this spit of land: the Nieuwe Merwede on one side and the Beneden Merwede on the other.

As you sail back along the north side of the island, you see a few farms and then the Helsluisje, the river entrance to the area. You then pass the Merwelanden recreation area and the chemical plant of the American company, DuPont de Nemours, whose lights illuminate the water and the town of Sliedrecht, on the other bank, at night.

Soon the bridge to Papendrecht comes into view but before it there is an isolated

Overzicht van de Oude Maas. Links ervan ligt de
Kalkhaven. Aan de overzijde Zwijndrecht.
View of the Oude Maas. To the left, the Kalkhaven.
On the far bank, Zwijndrecht.

Eeuwenoude achtergevels langs de Voorstraatshaven.
Ancient rear façades along the Voorstraatshaven.

Merwede er niet kunnen wonen. Tijdens de belegering door Jan van Brabant, in 1418, werd het kasteel al grotendeels verwoest. De Sint Elisabethsvloed van 1421 deed de rest. Het water richtte niet alleen het machtige huis te gronde, het verzwolg ook dorpjes en andere nederzettingen in de buurt. Feitelijk was de vloed, die kwam in de nacht van 7 op 8 november, de laatste van een reeks dijkdoorbraken. De oorzaak lag in een noodlottige combinatie van een stijgende zee, dalend land en de schraperige landwinningsdrift van de eilandbewoners. In voorgaande jaren hadden ze op grote schaal buitendijkse, zoute veengronden afgegraven. Het water kreeg er vrij spel. Constantijn Huygens zei het zo: 'Eens zat ik in de klei, die ook mijn buren voedde; toen heeft één nacht mij tot Venetië gemaakt…'.

Zeventien dorpen en vijftigduizend hectare land kwamen onder water te staan. Alleen de steden Dordrecht en Geertruidenberg hielden in de wijde omgeving stand. Daar is alles mee gezegd, want Dordt werd een eilandstad zonder achterland. Het water nam het gewonnen land weer van de mensen af. De watersnood verwoestte en vormde tegelijkertijd. De Biesbosch kreeg nagenoeg zijn huidige uiterlijk, al is het gebied door de getijdenwerking nog dagelijks in beweging. Het Eiland van Dordrecht ligt er, gevangen door rivieren, sindsdien vrijwel onveranderd bij.

In die relatieve rust van bijna achthonderd jaren kon Dordrecht zich ontwikkelen tot een middelgrote stad in het centrum van het Drechtstedengebied. Varend vanaf de ruïne zie je de groei in omgekeerde volgorde aan je voorbijtrekken. Daar liggen de binnenhavens, de bedrijven en scheepswerven. Daarna komen de nieuwbouw van het Lijnbaangebied en het oude centrum, met zijn stadspoorten en Venetiaanse herenhuizen, waarvan de achterzijden eindigen in het water.

Waterbussen en Fast Ferry's bieden personenvervoer over water. In de verte ligt Rotterdam.
The water-buses and Fast Ferries provide passenger transport by water. In the distance is Rotterdam.

ruin between two harbours. The Huis te Merwede is Dordrecht's oldest extant monument and yet few seem to bother with these remains which can best be seen from the river. The manor house was built in about 1300 on the orders of Dordrecht nobles, but the Lords of de Merwede did not live there for long as much of the castle was destroyed in 1418 during a siege by Jan of Brabant. The St Elisabeth Flood of 1421 did the rest. The waters not only razed the mighty house to the ground, they also engulfed villages and other settlements in the area. In fact the flood, which happened in the night of 7 and 8 November, was the last in a series of breaches of the dykes caused by a fateful combination of rising sea levels, subsiding land and the islanders' penny-pinching approach to land reclamation. In earlier years they had excavated large parts of the salt fens outside the dykes. The water was unrestrained. As Constantijn Huygens put it: 'Once I sat in clay, which also supported my neighbours; then in one night I became Venice…'.

Seventeen villages and fifty thousand hectares of land were flooded. In the whole area, only the towns of Dordrecht and Geertruidenberg remained standing. That says everything, for Dordrecht became an island town without a hinterland, the water took back the land reclaimed by the people and since then Dordrecht island has lain almost unchanged, imprisoned by the rivers. But the flood created as well as destroyed. The Biesbosch took on more or less its present form, even though the area is still changed every day by the effect of the tides.

Over a relatively calm period of almost eight hundred years, Dordrecht has developed into a medium-sized town in the centre of the Drechtsteden district. Sailing on from the ruins, you can see how it has grown starting from the modern and going backwards. There are the harbours, the businesses and shipyards. Next, there are the new houses in the Lijnbaangebied and the old centre, with its town gates and Venetian mansions whose backs stand in the water.

Van Groothoofd naar de Kop van 't land

Het Groothoofd is de meest noordelijke punt van het eiland. Van hier zou je weer lijnen kunnen trekken naar beneden. Daarlangs waaiert de stedelijke bebouwing uit. Eerst de historische binnenstad, dan een ring van statige, negentiende-eeuwse huizen langs de Singel. Daarna beginnen, deels achter de spoorlijn, volkswijken uit het begin van de vorige eeuw: Oud en Nieuw Krispijn, Land van Valk en de Vogelbuurt. Apart, op een soort landtong langs het Wantij, ligt De Staart. Dieper het land in beginnen de jongste wijken, zoals Sterrenburg en Stadspolders. Daartussen heerst nog de rust van het landelijke Dubbeldam, dat tot 1970 een zelfstandige gemeente was. Het landgoed Dordwijck, een voormalige buitenplaats met oude villa's, ligt er tegenaan.

De jongste wijken grenzen aan stille polders, waar populieren windbrekers zijn. De landbouwgebieden eindigen in een drassige strook met kreekjes, rietkragen en knotwilgen, het begin van de Biesbosch. Hier zijn in het land nog duidelijk de sporen zichtbaar van de veroveringen op het water.

De afstand van het ene naar het andere hoofdeinde, van noord naar zuid, bedraagt nog geen twintig kilometer. Het is een streep dwars over het eiland. De uitersten dragen namen die eeuwenlang met het eiland verbonden zijn: Het Groothoofd in het noorden is de toegangspoort tot de stad en ziet uit op een machtig snijvlak van rivieren. In die onafzienbare ruimte vloeien de Beneden Merwede, Noord en Oude Maas samen. Zuidelijk op het eiland ligt dat andere hoofdeind, de Kop van 't Land, een kleine enclave van huisjes en bomen. Tijdens overstromingen was het altijd een droge plek tussen de woelige zeearmen. De dreiging van het water is nooit helemaal geweken. Bij ruig weer, verkeerde wind en veel regen, lopen sommige polders er nog onder. Onder normale omstandigheden heffen de stroom van de rivieren en de tegengestelde getijdenstroom van de zee elkaar hier zonder geweld op.

Een veerpont neemt je bij de Kop van 't Land mee over de kalme Nieuwe Merwede naar de Brabantse Biesbosch. Het is in naam een andere provincie, maar wie de kaart bestudeert ziet dat het gebied op natuurlijke wijze aansluit bij het Eiland van Dordrecht.

In afstand is het niets, van Groothoofd naar de Kop van 't Land – met de wind mee fiets je er in ruim een half uur heen. Toch is het verschil hemelsbreed: van de nauwe, volle stadskern naar

From Groothoofd to Kop van 't Land

The Groothoofd is the most northerly point of the island. From here you can imagine lines along which the built-up areas fan out. First, the historic town centre, then a ring of grand, nineteenth-century houses along the Singel. Behind them and beyond the railway line are the working-class areas dating from the early part of the last century: Oud Krispijn and Nieuw Krispijn, Land van Valk and the Vogelbuurt. De Staart stands on its own, on a sort of spit of land along the Wantij. The newest estates, such as Sterrenburg and Stadspolders, begin further inland. Between them there is the rural calm of Dubbeldam, an independent municipality until 1970, which is bordered by Dordwijck, formerly a country estate of venerable villas.

The newest estates stand next to quiet polders, where poplars act as windbreaks. The agricultural areas run down to a marshy area of streams, reedbeds and pollarded willows, the start of the Biesbosch. The traces of the fight against the water are still clearly visible in the land.

It is less than twenty kilometres from one end to the other, from north to south. The extremities have names which have been associated with the island for centuries: the Groothoofd in the north is the entrance to the town and looks out over a great expanse of water where the Beneden Merwede, Noord and Oude Maas flow into one another. Further south is the other tip of the island, Kop van 't Land, a little enclave of houses and trees between the turbulent arms of the sea which always stayed dry during floods, but the threat from the water has never entirely disappeared. In bad weather, with the wrong wind and heavy rain, some polders still flood but, under normal circumstances, the rivers flow peacefully to meet the tide from the sea.

A ferry takes you from Kop van 't Land over the calm Nieuwe Merwede to the Brabant Biesbosch. Nominally it is another province, but a glance at the map shows that the area is a natural continuation of the island of Dordrecht.

It is no distance from Groothoofd to Kop van 't Land – with a following wind, you can cycle it in half an hour. But the difference could not be greater: from the cramped,

Monumentale huizenrij langs de Nieuwe Haven. Erachter de Wolwevershaven en de Oude Maas. Rechtsboven de toren van het Groothoofd.
Historic houses along the Nieuwe Haven. Behind, the Wolwevershaven and the Oude Maas. Top right, the tower of the Groothoofd.

*Drierivierenpunt bij het Groothoofd, drukstbevaren
kruispunt van Europa.*
*The triple river-junction at the Groothoofd, the busiest
water junction in Europe.*

de ruimte van het natuurlijke land. Dordrecht is de grootste Nederlandse stad op een eiland, met een landelijk deel dat nog ongeschonden is gebleven. Het is vlak Hollands land met lange be-boomde dijken en sloten en hoge wolkenluchten, een landschap waar buitenstaanders niet vaak komen. Ze zouden het moeten zien. Stad en eiland vormen er een weidse, ondeelbare eenheid.

Vanuit grote hoogte zijn de vormen en lijnen het best waar te nemen. Volg de rivieren en wegen en er ontstaan radialen van noord naar zuid en van west naar oost. Dordrecht ligt tussen Amsterdam, Den Haag en Rotterdam in het noorden en Breda, Antwerpen en Parijs in het zuiden. Op een gemiddelde werkdag trekken bijna 125.000 auto's en vrachtwagens langs het geluids-scherm van de A16, aan de westkant van de stad. Eén van de drukste spoorverbindingen van Europa volgt dezelfde noord-zuid-lijn en doorsnijdt strak het eiland. Bij het machtige Hollands Diep verlaten de treinen noord-Nederland en bereiken zuid-Nederland. Ze passeren een rivier die sinds jaar en dag geldt als een scheiding der geesten, tussen protestant en katholiek, tussen streng en ruim denken. Misschien is het er daarom wel zo mooi, omdat die brede waterstrook twee Nederlanden verbindt.

Er is nog die andere lijn. De stad ligt tussen de zee in het westen en de industriesteden van Duitsland in het oosten. De wegen en rivieren stromen als aders langs het eiland. De A15, die bovenlangs Dordrecht voert, is nog altijd de meest directe verbinding met het Europese achter-land. Dagelijks maken ruim 80.000 voertuigen van de snelweg gebruik. Om de verkeersdruk op te vangen is de N3 aangelegd. Deze randweg langs de zuidrand van Dordrecht, goed voor zo'n 60.000 passerende auto's, vormt een verbinding tussen de A15 en A16.

De vaarwegen raken ook steeds voller. Op sommige plaatsen is bijna sprake van filevorming, zoals bij de samenloop van rivieren vóór het Groothoofd. Het drierivierenpunt geldt met jaar-lijks ruim 150.000 passerende schepen als het drukste waterknooppunt van Europa. Aan het enorme konvooi schepen zijn in 1999 nog de Waterbussen en de Fast Ferries toegevoegd. De waterbussen onderhouden voor passagiers lijndiensten tussen de gemeenten in het Drechtste-dengebied. De snelle Fast Ferry verbindt Dordrecht met Ridderkerk en Rotterdam. Voor wie de

Voorstraatshaven.
The Voorstraatshaven.

crowded heart of the town to the nature and space of the countryside. Dordrecht is the largest Dutch town sited on an island, with unspoilt rural surroundings. A flat Holland landscape with long tree-lined dykes and ditches and high skies; an area which outsiders do not often visit. They should go and see it. Town and island form a expansive, cohesive unit.

The shapes and lines can best be seen from above. The rivers and roads fan out from north to south and from west to east. Dordrecht lies between Amsterdam, The Hague and Rotterdam to the north and Breda, Antwerp and Paris to the south. On an average weekday, almost 125,000 cars and lorries pass the noise-barrier along the A16, to the west of the town. One of the busiest rail routes in Europe follows the same north-south line, cutting through the island. At the mighty Hollands Diep, the trains leave the north of the Netherlands and reach the south of the country as they cross the river which has always been regarded as the boundary between two frames of mind, between protestant and catholic, between conservative and liberal thinking. Perhaps this is why that wide stretch of water is so attractive, because it links the two Netherlands.

The town also lies between the sea to the west and the industrial cities of Germany to the east. The roads and rivers flow like arteries past the island. The A15, which passes to the north of Dordrecht, is still the most direct link with the European hinterland. Over 80,000 vehicles use the motorway every day. The N3 ring road around the south of Dordrecht was built to relieve the pressure of traffic, linking the A15 and A16 and handling 60,000 vehicles.

The waterways are also increasingly crowded almost causing traffic jams in places such as the confluence of rivers by the Groothoofd. The three-way water junction is the busiest in Europe with over 150,000 ships passing each year. Water-buses and Fast Ferries joined this great convoy in 1999. The water-buses provide scheduled passenger services between the municipalities in the Drechtsteden district. The Fast Ferry links

*Toeristen bekijken vanuit de rondvaartboot de achterkant
van het Stadhuis.*
Tourists admire the rear of the town hall from the tour boat.

overvolle snelwegen schuwt, is dit de meest comfortabele manier van reizen. De introductie van de Fast Ferry betekende de herontdekking van personenvervoer over water, al zal de rivier nooit meer de slag kunnen winnen van de wegen over land.

Als economische bron hebben de rivieren hun betekenis voor Dordrecht voor een deel verloren. Rotterdam heeft Dordrecht als havenstad al lang overvleugeld. Het benutte beter de zee. Langs de Nieuwe Waterweg, toegang naar de Noordzee, groeide 's werelds grootste haven. Verderop zuidwaarts stagneerde de ontwikkeling. De vooruitzichten op een nieuwe bloei werden verder ontnomen na de watersnoodramp van 1 februari 1953. Grote delen van de Zeeuwse en Zuid-Hollandse eilanden, waaronder het Eiland van Dordrecht, bleken kwetsbaar en liepen na de dijkdoorbraken onder water. Zo'n natuurramp mocht zich nooit herhalen. De belangrijkste waterwegen in het getroffen gebied werden met dammen en sluizen afgesloten, na een waterstaatkundige operatie van wereldformaat: de Deltawerken. Zo dicht bij de zee is Dordrecht er nu vrijwel van buitengesloten. Desondanks bezit het een zeehaven. Het is een verzamelnaam voor drie kleine havens, met toegangen tot de Dordtse Kil en Oude Maas, de aanloop naar het Rotterdamse Europoortgebied. Het is een positie in de schaduw van een wereldhaven. Op Nederlandse schaal neemt de Dordtse Zeehaven de zesde plaats in.

Het timpaan van patriciërshuis Vader Tijd aan het Vlak. Op zijn hoofd draagt hij een gevleugelde zandloper.
The pediment of the Vader Tijd merchant's house on the Vlak. Father Time carries a winged hourglass on his head.

Dordrecht, Ridderkerk and Rotterdam and is the most comfortable way to travel for those who want to avoid the crowded motorways. The introduction of the Fast Ferry was a rediscovery of passenger transport by water, even though the rivers will never win the battle from the roads.

The rivers have lost some of their economic significance for Dordrecht. Rotterdam overtook Dordrecht as a port long ago; it makes better use of the sea and the world's largest port grew up along the Nieuwe Waterweg, entrance to the North Sea. Further south, development stagnated. The prospects for resurgence shrank further after the flood disaster of 1 February 1953 when huge areas of the Zeeland and South Holland islands, including the island of Dordrecht, proved to be vulnerable and disappeared under water after the dykes broke. Such a natural disaster could never be allowed to happen again. The main waterways in the affected area were closed off by dams and sluices under the Delta Plan, a world-class hydraulic engineering operation. Dordrecht, so close to the sea, is now almost entirely cut off from it. Nevertheless it has a marine port, the collection of three small harbours with access to the Dordtse Kil and Oude Maas, the entrance to the Rotterdam Europoort area. Overshadowed by the world port, the Dordtse Zeehaven holds sixth place in the Netherlands.

Vrijwilligers onderhouden de voormalige stoom-
sleper Pieter Boele in de Wolwevershaven.
Volunteers work on the steam tug Pieter Boele in the
Wolwevershaven.

Glorie-dagen van een handelsstad

De ligging aan de drukke waterwegen is comfortabel. Ze maakt zichtbaar waarom Dordrecht tot de zestiende eeuw als handelsstad en politiek centrum in Holland zo toonaangevend was. Kooplieden en schippers kwamen elkaar hier tegen en wisselden goederen uit. De lokale machthebbers lieten zich voor het gebruik van de rivieren in baar tolgeld goed betalen. Dit zogeheten stapelrecht, een accijns voor het verhandelen van goederen, konden ze afdwingen dankzij de ligging aan het water. Graaf Jan de Eerste verleende Dordrecht reeds in 1229 het stapelrecht, in navolgende eeuwen verfoeid door schippers. De landheren in Hollands oudste stad werden er rijk en machtig van. Op weg naar Rotterdam varen de meeste schepen nu voorbij. Ze hebben niets meer te vrezen; het Dordtse stapelrecht is al lang opgeheven.

De gloriedagen van weleer weerspiegelen zich alleen nog in de patriciërshuizen, pakhuizen en andere monumenten. Ze staan veelal langs de oude binnenhavens met hun in Nederland nog zeldzame allure. De Wolwevershaven is de mooiste van alle havens. De naam is ontleend aan de vele lakenwevers die zich hier in de loop van de zeventiende eeuw vestigden. Van hen is, behalve in de naam, geen spoor meer te bekennen. Tientallen stoomsleepboten vulden na hun vertrek de kleine haven. De Pieter Boele is als enige achtergebleven. Liefhebbers van het oude laten hem van tijd tot tijd stoom afblazen. Jan Eijkelboom woonde er ooit vlakbij en schreef:

> De Boele braakt nog rook en stoom
> een hoogbejaarde jongensdroom.

De sleper houdt zich stil onder de kastanjebomen, in het gezelschap van oude, bewoonde binnenschepen. De kade is een werkplaats: sloepen liggen er op hun kop, naast kachelhout waarmee de scheepsbewoners 's winters hun ruimen warmhouden. Vanuit hun onderkomens kijken ze op tegen een rij diepe herenhuizen. De ramen zijn opengegooid naar de fraaiste uitzichten van Nederland. Vóór de Wolwevershaven en de kade van de Kuipershaven met zijn luxe appartementen. Achter zien ze het 'plein der straten', zoals dichter Marsman het drierivierenpunt ooit omschreef.

Eén pand in de rij langs de Wolwevershaven weet zich met zijn omvang geen raad: de reus Stokholm helt loom naar voren. Het immense pakhuis werd in 1730 in opdracht van de Zweedse

The glory days of a trading town

The site on the busy waterways is comfortable and it explains why, until the sixteenth century, Dordrecht was such a prominent trading town and political centre in Holland. Merchants and shippers met to exchange goods. They had to pay local authorities high tolls for using the rivers. This duty on the trade in goods, called the *stapelrecht*, could be levied thanks to the location by the water. Count Jan I granted Dordrecht the right to levy the *stapelrecht* in 1229 and it was cursed thereafter by traders. It made the rulers of Holland's oldest town rich and powerful but most ships now sail past on the way to Rotterdam with nothing to fear; Dordrecht's *stapelrecht* disappeared long ago.

The glory days of long ago are still reflected in the mansions, warehouses and other monuments. They are mostly along the old inner-harbours, which have a charm rare in the Netherlands, and the Wolwevershaven is the most attractive of them all. It gets its name from the many weavers of woollen cloth who set up there during the seventeenth century although there is no trace of them now, except for the name. The Pieter Boele is the only steam tug remaining of the dozens that used to work in the little port and enthusiasts fire it up from time to time. Jan Eijkelboom used to live nearby and wrote:

> The Boele still belches smoke and steam,
> an aged childhood dream.

The tug is moored under the chestnut trees, alongside other old, inhabited inland ships. The quay is a workshop: boats lie upside down, next to the wood for the boilers which keep the ships' living-quarters warm in the winter. The people living on the ships look out on a row of deep houses; the best view in the Netherlands. In front, the Wolwevershaven and the quay of the Kuipershaven with its luxury flats. To the back, the 'plaza of flows', as the poet Marsman once called the triple-river junction.

One property along the Wolwevershaven struggles with its size: the gigantic *Stokholm* leans, looming forward. This huge warehouse was built in 1730 on the orders

handelsmagnaat Johan Anthony Bruyn gebouwd. Het was in die tijd een flatgebouw van onge-kende proportie en bedoeld voor de opslag van suiker, graan en zaad. Nu bevolkt kantoorperso-neel de zeven verdiepingen.

Er komen niet eens zoveel wandelaars langs. Hadden deze havens in Amsterdam of Rotterdam gelegen, ze zouden een trekpleister van de eerste orde zijn geweest. Gelukkig is dit Dordrecht, dat zich ook nog rijk kan rekenen met zijn onbekende Bomhaven, Maartensgat en Wijnhaven, elk met hun eigen specifieke sfeer. En natuurlijk is er de Nieuwe Haven, in 1410 gegraven om nieuwe schepen en dus handel te lokken. Over het brede water ligt de Lange IJzeren Brug ge-spannen, als een 'accolade tussen twee kaden', zoals Kees Plaisier schreef. Het imposantste huis op de kade herbergt het historisch museum Simon van Gijn-Museum aan Huis. De naamgever was een kinderloos bankier en kunstliefhebber. Na zijn dood in 1922 liet hij de gemeente zijn herenhuis, inboedel en verzamelingen na, op voorwaarde dat de nalatenschap voor publiek toe-gankelijk zou worden gemaakt.

Onder de bezoekers bevinden zich ook veel watersporters. Hun boot hebben ze bij de voordeur afgemeerd. Ze zijn de gasten van de Koninklijke Dordrechtse Roei- en Zeilvereeniging, in de volksmond Roei en Zeil. Al sinds 1851 ontvangt die in de Nieuwe Haven bezitters van zeil- en motorboten. De plezierjachten hebben de plaatsen ingenomen van schuiten en vlotten, van waaraf vis werd verkocht. De overheersende kleur van de haven is veranderd van bruin in wit.

Alle havens hebben dit gemeen: achter alle onontkoombare moderniteiten blijft de rijke ge-schiedenis van het water er onveranderd zichtbaar. De stad ligt net als al die duizend voorgaande jaren aan datzelfde voorname kruispunt van wegen en rivieren. Het was lang de bron voor grote bloei. Alleen veranderde de wereld eromheen sneller dan de opeenvolgende stadsbesturen kon-den volgen.

Goedgepoetste deurklopper aan de Grotekerksbuurt.
Highly-polished door knocker in the Grotekerksbuurt.

Gevelsteen van huis De Sleutel (omstreeks 1550) aan de Groenmarkt.
Wall plaque on the De Sleutel house (circa 1550) on the Groenmarkt.

of the Swedish trade magnate, Johan Anthony Bruyn. At the time, it was a building of unprecedented proportions for the storage of sugar, grain and seed. These days, there are offices on its seven floors.

Only a few people stroll past. If these harbours were in Amsterdam or Rotterdam, they would be an attraction of the highest order. Fortunately this is Dordrecht, and it can consider itself rich with its little-known Bomhaven, Maartensgat and Wijnhaven, each of which has its own unique character. And, of course, there is the Nieuwe Haven, excavated in 1410 to attract new ships and trade. The Lange IJzeren Brug, described by Kees Plaisier as an 'accolade between two quays', crosses this broad stretch of water. The imposing house on the quay is home to the Museum Mr Simon van Gijn, named after a childless banker and art connoisseur. He left his house, contents and collection to the municipality after his death in 1922, on condition that the estate was made accessible to public.

The visitors include many pleasure sailors who can moor their boats at the front-door. They are the guests of the Koninklijke Dordrechtse Roei- en Zeilvereeniging, commonly known as Roei en Zeil which has welcomed owners of sailing and motor vessels to the Nieuwe Haven since 1851. The dominant colour in the harbour changed from brown to white as the pleasure boats took over from the barges and rafts from which fish were sold.

All the harbours have something in common: behind all the inevitable modernity, the rich history remains visible from the water. The town still lies, as it has for the past thousand years, at that same key crossing of roads and rivers. For a long time, it was a source of great wealth, but the outside world changed faster than successive town councils could keep up with.

Dordtse Zeehaven.
Dordrecht's marine port.

Doorkijkje naar Grote Kerk, vanonder de Lange IJzeren Brug.
Towards the Grote Kerk, from the Lange IJzeren Brug.

Leven op een eiland

Weinig bleef bij het oude. Havens en industrieparken groeiden, werknemers werden mobieler en de afstanden kleiner. Die versnelling van het dagelijkse leven had ook gevolgen voor het eilandgevoel, dat Dordtenaren zo lang kenden. Er stroomt nog steeds evenveel water rond het land, maar de beleving is anders. Het Eiland van Dordrecht is alleen nog een geografisch gegeven.

Eeuwenlang moesten Dordtenaren het zonder vaste oeververbindingen stellen. Ze waren aangewezen op veren en andere schepen, als ze naar de Hoeksche Waard, Alblasserwaard of Brabant reisden. De overtocht over het brede Hollands Diep naar het dorpje Moerdijk gold als de gevaarlijkste, de overtocht naar Zwijndrecht als de drukste. Wie met zijn auto van Rotterdam naar Antwerpen wilde, zette zijn voertuig op de veerboot en liet zich naar de overkant varen.

Het isolement werd in korte tijd opgeheven. Zes bruggen en twee tunnels ontsloten in honderd jaar het eiland. Eerst werden spoorbruggen aangelegd, over de Oude Maas en het Hollands Diep. De vorige eeuw was al een flink eind gevorderd, toen daar verkeersbruggen bijkwamen: op het traject Zwijndrecht-Dordrecht en bij de Moerdijk. Nog weer later kwam er een brug bij tussen Dordrecht en Papendrecht. De Kiltunnel onder de Dordtse Kil en de brede Drechttunnel onder de Oude Maas moesten het verkeer verder ontlasten. Automobilisten zien daar nu niet eens meer dat ze water passeren.

Veel pontjes zijn uit de vaart genomen of kregen een beperkte functie als overzetveer voor voetgangers. Alleen bij de Kop van 't Land kun je nog met de auto vanaf het water het eiland op rijden. De ouderwetse tweebaansweg die er begint, blijft met zijn rijen bomen aan beide zijden één van de mooiste invalswegen naar de stad. Langs de Provincialeweg strekt zich het eiland uit; je kunt het zien en proeven.

Daar voelen Dordtenaren zich weer eilandbewoners. Zo zijn ze ook lang door anderen bekeken: mensen van een eiland, met een beperkt zicht, in zichzelf gekeerd, opgesloten tussen vijf rivieren. Stug en stuurs, klagerig, wantrouwend jegens 'import', wars van nieuwlichterij – dat waren de weinig vleiende typeringen die hen werden toegedicht. Als er al eens iets veranderde, dan duurde het lang voordat ze de vernieuwing in de armen sloten. Een oud verhaal wil, dat na-

Living on an island

Little has stayed as it was. Harbours and industrial estates grew, employees became more mobile and distances became smaller. The pace of daily life also had consequences for that sense of being on an island that the Dordrechters had known for so long. Just as much water still flows around the land, but the feeling is different. The island of Dordrecht is now just a geographical feature.

For centuries, the people of Dordrecht had no fixed crossing points. They had to travel by boat to get to the Hoeksche Waard, Alblasserwaard or Brabant. The crossing over the wide Hollands Diep to the hamlet of Moerdijk was the most dangerous, that to Zwijndrecht was the busiest. A journey by car from Rotterdam to Antwerp involved taking the ferry.

The isolation disappeared within a short time. Within a hundred years, six bridges and two tunnels liberated the island. First came the railway bridges over the Oude Maas and the Hollands Diep followed in the last century by the road bridges on the Zwijndrecht-Dordrecht route and at Moerdijk. After them came the bridge between Dordrecht and Papendrecht. The Kiltunnel under the Dordtse Kil and the wide Drechttunnel under the Oude Maas eased the traffic further. Motorists no longer realise that they are crossing water.

Many ferries were taken out of use or restricted to pedestrian traffic only. The only place where you can still cross over the water to the island by car is at Kop van 't Land. The old-fashioned narrow tree-lined road which starts there is one of the most attractive routes into the town and you can see and enjoy the island stretching out from it.

The people of Dordrecht still regard themselves as islanders. For a long time, that is also how others regarded them: people from an island, with a limited view, inward looking, closed in by five rivers. Dour and surly, complaining, distrustful of newcomers, wary of the modernity – such were the unflattering opinions of them. If something changed, it was a long time before the novelty was embraced. There is an old story that national stage and opera companies tried out their new productions in

tionale toneel- en operagezelschappen hun eerste uitvoering graag in de Dordtse schouwburg Kunstmin speelden. Ze waren geslaagd als het publiek bleef zitten. 'Glimlacht Dordt, dan schatert de rest van Nederland', zo zeiden regisseurs tegen elkaar.

De goede luisteraar hoorde in de Dordtse klaagzangen ook volop andere, liefdevolle klanken. De bewoners konden onderling met onverholen trots over hun stad en eiland spreken. Om even later er weer op neer te kijken, zoals kunstschilder en dichter Jan Pieter Veth (1864–1925) ooit deed: 'Ik vind Dordt enorm mooi. Als ik hier wandel, word ik gek van al 't mooie, en ik weet duizend dingen te maken… Dordrecht, met zijn mooie cachet; het Dordtse eiland, met zijn wonderbaarlijke atmosfeer… Dordt, dat me langzamerhand een kerkhof van verloren illusies is geworden; men haalt er zo lekker adem, in dat moeras…'

Over die speciale sfeer is vaker geschreven. Hij is ongrijpbaar en met woorden nauwelijks te benoemen: een gesloten hoge stilte, met eigen geuren en kleuren die vooral van het water komen. Touw, teer en olie; bruin en zwart. Blauw en wit van de luchten erboven, goudgeel van het riet erlangs. Vreemdelingen zullen de stemming niet snel herkennen, echte Dordtenaren gaan er al te vaak aan voorbij. Niet Buddingh', die zijn leven lang in Dordt bleef omdat de stad hem volgens eigen zeggen niet stoorde. Hij schreef dit in zijn *Ode aan Dordt*: 'Dordt is niet alleen de rivier/met alles wat erop en eraan hoort, maar een brok atmosfeer, een klimaat, waarin je misschien geboren moet zijn/om er blijvend te kunnen ademen.'

Maar wie is er in Dordrecht geboren en woont er nog? Hoeveel echte Dordtenaren zijn er nog over? Na de geleidelijke opheffing van het isolement van het eiland is het aantal nieuwkomers alleen maar toegenomen. Oer-bewoners van het eiland zullen op den duur een minderheid gaan vormen. Nu nog is de helft van de 120.000 inwoners er geboren, opgegroeid en gebleven, zo leren de gemeentelijke statistieken. De andere helft is van buiten gekomen, uit Rotterdam, Brabant of Zeeland, of van veel verder. Zoals ooit Lombarden, Engelsen, Walen en Duitsers naar Dordrecht kwamen, zo voegden zich in de laatste decennia ook tientallen andere nationaliteiten zich bij de Hollandse Dordtenaren. Turken zijn met ruim 5000 inwoners het sterkst vertegenwoordigd, daarna Surinamers en Antillianen met zo'n 2500 in iedere groep. In de stad wonen

Kunstmin, the Dordrecht playhouse. They would be relieved if the audience did not walk out. 'If Dordrecht smiles, the rest of the Netherlands will roar with laughter,' the directors told each other. A good listener can hear other, more attractive sounds in Dordrecht's lament. The inhabitants could speak with each other with unconcealed pride about their town and island, only to disparage them a little later, as artist and poet Jan Pieter Veth (1864–1925) once did, 'I find Dordrecht enormously attractive. When I wander around, all the beauty drives me mad, and I manage to do a thousand things… Dordrecht, with its attractive cachet; Dordrecht island, with its wonderful atmosphere… Dordrecht that has gradually become a graveyard of lost illusions for me; you can so easily draw breath in that swamp…'

Much has been written of its special atmosphere. It is intangible and almost impossible to describe in words: pure peace, with its own smells and colours which come mainly from the water. Rope, tar and oil; brown and black. Blue and white from the skies, golden yellow of the reeds. Strangers will not easily recognise feeling, but real Dordrechters often miss it. Not Buddingh' though, who spent his whole life in Dordrecht because, as he put it, the town did not upset him. He wrote this in his *Ode aan Dordt*, 'Dordrecht is not only the river, with everything on and around it, but a piece of atmosphere, a climate, which you perhaps have to be born into to be able to keep breathing .'

But who was born in Dordrecht and still lives there? How many real Dordrechters are there? As the island gradually emerged from its isolation, the number of newcomers just grew. In the course of time, the original islanders will become a minority. Even now, according to municipal statistics, only half of the 120,000 inhabitants were born and bred there. The other half come from outside, from Rotterdam, Brabant or Zeeland, or from much further afield. Just as once Lombards, English, Walloons and Germans came to Dordrecht, in recent decades dozens of other nationalities have

2000 mensen met een Marokkaanse nationaliteit. Ze hebben hun eigen vrienden, koffiehuizen, moskeeën en grafakkers, zoals Dordtenaren hun eigen vrienden, kroegen, kerken en begraafplaatsen hebben. De samenstelling van de Dordtse bevolking lijkt op die van iedere andere Nederlandse stad. De stad op het eiland staat tegenwoordig midden in de wereld.

Wolwevershaven met het unieke dokje van
scheepsreparatiewerf Straatman uit 1902.
The Wolwevershaven with the unique dock of the
Straatman ship repair yard, dating from 1902.

joined the Holland Dordrechters. Turks, at over 5,000 people, are the largest group, followed by Surinamers and Antillians with about 2,500 each and there are 2,000 people of Moroccan nationality in the town. They have their own friends, cafes, mosques and burial grounds, in the same way as Dordrechters have their own friends, bars, churches and cemeteries. The make-up of the population of Dordrecht seems to be similar to that of any other Dutch town. The town on the island is now at the centre of the world.

Het drierivierenpunt op een zondagse zomeravond.
The river junction on a summer Sunday evening.

Herinneringen aan het mystieke water

Velen die kwamen, bleven. Anderen gingen verder. Allemaal bewaarden ze hun eigen herinneringen, aan onverwachte ontmoetingen, een ver familielid dat ze er opzochten, aan de wijn die ze er kochten, de vismarkten, de flauwe bocht van Wijnstraat of de stompe toren van de Grote Kerk. Maar de passanten die lang genoeg bleven, zullen het meest geraakt zijn door het alomtegenwoordige water. Ze gingen weer en namen hun indrukken mee, onthielden ze of vergaten ze, of deden er iets anders mee. Ze schreven erover of schetsten het onvergetelijke beeld dat ze vóór zich zagen.

Reizigers die vroeger Dordrecht aandeden, kwamen vaak woorden tekort om de ligging aan het mystieke water te beschrijven. 'Als een galei in het water' of 'Het Venetië van het Noorden' – het zijn typeringen waarin overdrijving doorklinkt maar die welgemeend werden genoteerd. Het waren niet de minste schrijvers die onder de indruk raakten. Zo deed de Fransman Marcel Proust de stad honderd jaar geleden aan. Hij schreef dit in *Pastiches et Mélanges* (1902): 'Men zal een lange reis met de diligence moeten maken door het vlakke land waar de wind huilt, terwijl op de oever het riet zich beurtelings neerbuigt en opricht in een eindeloze golfbeweging; men zal in Dordrecht moeten vertoeven, dat zijn met klimop begroeide kerk weerspiegelt in het netwerk van stille grachten en in de Maas met haar gulden golfjes, waar de schepen 's avonds in het voorbijglijden de spiegeling verstoren van de rode dakenrijen en de blauwe hemel.'

Ook onder kunstschilders was de waterkant in trek, vooral de oevers langs de grote rivieren. In musea over de hele wereld zijn Dordtse riviergezichten te zien van Aelbert Cuyp, de beroemdste Dordtse schilder, maar ook van Engelsen, zoals William Turner. Ze inspireerden later kunstenaars als A.P. Schotel en Cor Noltee. Zodra de lente aanbrak zaten ze langs de kaden en op het Groothoofd bij Hotel Bellevue – in de schaduw van die beloftevolle naam. Hier zagen ze hét gezicht van Holland. Lucht, land en water zijn er hoog, breed en ver en in één oogopslag waar te nemen. Wat schilders op het doek probeerden over te brengen, deden schrijvers in woorden. Zoals Theun de Vries, die in zijn roman *De man met de twee levens* schreef: 'Eén keer bij dit doelwit van zoveel wandelingen aangeland, verstil ik vanouds in opgetogenheid voor de aanblik van Hollands mooiste waterscheiding.'

Memories of the mystical water

Many who came stayed. Others moved on. All had their own memories, of unexpected encounters, a distant member of the family, the wine they bought, the fish markets, the gentle bend in Wijnstraat or the squat tower of the Grote Kerk. But visitors who stayed long enough were touched most by the omnipresent water. Then they left and took their impressions with them, remembered them or forgot them, or did something else – they wrote about them, or sketched the haunting image they saw before them.

Travellers who arrived in Dordrecht in the past were often lost for words to describe its location on the mystical water. 'Like a galley on the water' or 'the Venice of the North' – phrases with a hint of exaggeration but written with thoughtfulness. It was not just minor writers who fell under its spell. The French author, Marcel Proust, visited the town a hundred years ago. He wrote in *Pastiches et Mélanges* (1902), 'one must make a long journey by coach through the flat countryside where the wind howls, while on the banks the reeds sway in an unending wave; one must stop in Dordrecht, its ivy-covered church reflected in the network of tranquil canals and in the Maas, with its golden waves, where ships sailing by in the evening disturb the reflections of the red roofs and the blue sky.'

Artists were also attracted to the waterside, especially the banks of the big rivers. Dordrecht riverscapes by Aelbert Cuyp, the most famous Dordrecht painter, but also by English painters such as William Turner, can be found in museums all over the world. They inspired later artists such as A.P. Schotel and Cor Noltee. As soon as spring arrived, they would be sitting on the quaysides and on the Groothoofd by the Hotel Bellevue – in the shadow of that auspicious name. Here they saw the supreme view of Holland. Sky, land and water spreading high and wide and far and all in a single scene. What the artists tried to capture on canvas, the writers tried to record in words. Like Theun de Vries, in his novel *De man met twee levens*, 'Landing at the destination of so many walks, I stood enraptured again at the sight of Holland's most beautiful confluence.'

Ze komen daar nog steeds, Dordtenaren en vreemdelingen, want de plek is onveranderd en het uitzicht blijvend magistraal. Er komen alleen grotere schepen voorbij, eindeloze duwbakken gevuld met containers. En op de kade breiden de terrassen zich uit voor de mensen die het willen zien.

Wat zij zien, en al die anderen voor hen zagen, is onbenoembaar en toch onvervreemdbaar in dit Dordtse tafereel. Bij het Groothoofd begint het Hollandse licht. Je hebt mooi licht in Venetië, bij Honfleur in Normandië, St. Ives in het Engelse Cornwall of Long Island in de Verenigde Staten. En je hebt het licht bij Dordrecht, of misschien wel: de lichten bij Dordrecht. Messcherp blauw verloopt naar paarlemoer en zacht grijs. Het licht toont hier al zijn gezichten.

Reizigers hebben er zelden oog voor. Nu komen ze van alle kanten, vroeger stapten de meesten bij het Groothoofd aan wal. Ze streken na de lange reis de kleren nog eens recht en staken de drukke kade over. De grote poort liet hen binnen.

Rondvaartboot de Dordtevaar kan bij hoog water ternauwernood de overwelving van het Stadhuis boven de Voorstraatshaven passeren.
At high water, the Dordtevaar tour boat can only just make it through the town-hall arch over the Voorstraatshaven.

They still go there, Dordrechters and strangers, for the place has not changed and the view is still majestic. The ships are just bigger; endless push-barges filled with containers. And on the quayside there are open-air cafés for those who want to admire the view.

What they see, like all those before them, is beyond words and yet an inherent part of this Dordrecht scene. The Holland light starts at the Groothoofd. You have wonderful light in Venice, at Honfleur in Normandy, St. Ives in Cornwall, or Long Island in America. And you have the light or, better perhaps, the lights of Dordrecht: razor-sharp blue merges into mother-of-pearl and soft grey. The light shows all its facets here.

Travellers seldom notice it. These days they arrive from all directions; in the past most alighted on the quayside at the Groothoofd. They smoothed down their clothes after the long journey and crossed the busy quay and passed through the great gate.

Verlichte stoomsleper Pieter Boele in de Wolwevershaven.
The steam tug Pieter Boele, illuminated in the Wolwevershaven.

Trappenhuis in Simon van Gijn - Museum aan Huis, aan de Nieuwe Haven 29.
Staircase in the Simon van Gijn - Museum aan Huis, at 29 Nieuwe Haven.

Eetkamer van Simon van Gijn.
Dining room of Simon van Gijn.

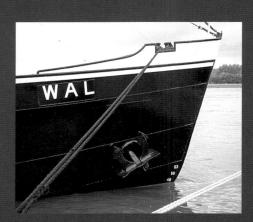

Namenparade van schepen.
Parade of ships' names.

Overzicht, gezien vanaf de nieuwbouw aan de Riedijkshaven. De toren
vooraan is de Groothoofdspoort, de toren aan de overkant van de rivier
de Oude Maas is de watertoren van Zwijndrecht.
*View from the new buildings on the Riedijkshaven. The tower in the foreground is
the Groothoofdspoort, the one on the far bank of the Oude Maas is Zwijndrecht's
water tower.*

Landgoed Dordwijk.
Dordwijk estate.

Na de restauratie van de orangerie wordt deze gebruikt voor onder meer Belcanto-concerten en andere activiteiten.
Since restoration, the orangery has been used for the Belcanto concerts and other activities.

Aanleg van de spoorbrug over het Hollands Diep
voor de Hogesnelheidslijn. Rechts het oude tracée.
The bridge being constructed for the High Speed Railway
over the Hollands Diep. The old line is to the right.

Chemiebedrijf DuPont de Nemours, gezien vanaf
de dijk bij Sliedrecht.
DuPont de Nemours' chemical plant, seen from the dyke
at Sliedrecht.

Stad met een verleden

Town with a past

Augustijnenkerk.

Stad met een verleden

Achter de Groothoofdspoort ligt de historie verscholen in de oude binnenstad. Achthonderd jaren stadsgeschiedenis zijn er terug te vinden in bijna duizend monumenten. Daarnaast telt de stad nog vierhonderd zogeheten 'beeldbepalende panden'. Niet voor niets is het stadsgezicht beschermd cultuurgoed. Weinig Nederlandse steden kunnen zich in dit opzicht met Dordrecht meten.

De inwoners durfden er tot op heden niet goed mee te pronken. Die bescheidenheid is waarschijnlijk weer naar de oorspronkelijke calvinistische volksaard terug te leiden. Met je eigen schoonheid loop je niet te koop, zo was de houding. De liefde voor de oude binnenstad komt nu weer tot leven, maar ze houdt iets dubbels. De hofjes en havengezichten, die tot de mooiste van Nederland behoren, zijn zó gewoon, daar praat je niet over. Dichter Jan Eijkelboom herkent het gevoel: 'Je bent er dol op, elk weekend loop je al die havens af, maar je doet net of het heel vervelend en heel saai is.'

De betrekkelijke onbekendheid van het historisch erfgoed vindt haar oorzaak in nog iets anders. Het oude Dordrecht laat zich niet gemakkelijk vinden. Vanaf de snelweg is er niets van te zien. Na het volgen van de invalswegen moet de bezoeker eerst het moderne centrum passeren, voordat hij bij het historische deel uitkomt. Vanuit de trein valt het prachtige aangezicht, het rivierfront met de stoere, onaffe toren van de Grote Kerk, wel een paar seconden waar te nemen. Maar dan is het beeld alweer verdwenen. Als je bij Dordrecht Centraal uitstapt, is het oude centrum relatief ver weg.

De oude binnenstad ligt in een zachte tang van rivieren. De meest directe toegang is dus via het water. Eenmaal binnen kan de bezoeker de stad het best te voet ontdekken. Het verleden leeft nog in de straten, die nooit voor auto's waren bedoeld. We stappen aan land en lopen naar de Groothoofdspoort. Hier liggen de voetstappen van keizers, koningen en hertogen. Onder erebogen paradeerden Sigismund van Duitsland, Karel V, Philips II, Maximiliaan van Oostenrijk, Willem II. En niet in de laatste plaats keizer Napoleon, die de stad op 5 oktober 1811, wars van alle protocollen, op eigen houtje bezocht. Burgers en buitenlui volgden in die dagen allemaal dezelfde weg.

Town with a past

The history is hidden in the old town centre beyond the Groothoofd gate. Eight hundred years of civic history can be discovered in almost a thousand historic buildings and the town has another four hundred 'landmark' buildings. It is not for nothing that the townscape is a protected cultural heritage. Few Dutch towns can match Dordrecht in this respect.

The inhabitants do not care to boast about it to this day. This modesty can probably be traced back to the original Calvinist nature of the people. It was not the done thing to flaunt your own beauty and, while love for the old town centre is now reviving, the people are still in two minds. The views of the almshouses and harbours, which are among the finest in the Netherlands, are so 'commonplace' that they do not talk about them. Poet Jan Eijkelboom knows the feeling: 'You are crazy about them, you walk around the harbours each weekend, but you pretend that it is really tedious and boring.'

The relative unfamiliarity of the historical legacy has another cause. Old Dordrecht is not easy to find. It cannot be seen from the motorway. By road, visitors first have to pass through the modern centre before reaching the historical area. From the train, the magnificent view of the river-front with the great unfinished tower of the Grote Kerk can be admired for a couple of seconds but then disappears again. Dordrecht Central station is quite a way from the old centre.

Rivers cradle the old town centre and so the most direct route is by water. Having arrived, visitors can best explore the town by foot. The past lives on in streets which were never meant for cars. We step onto the land and walk to the Groothoofd gate, in the footsteps of emperors, kings and dukes who have paraded under triumphal arches: Sigismund of Germany, Charles V, Philip II, Maximilian of Austria, William II and not least Napoleon who, disregarding protocol, visited the town on his own on 5 October 1811. These days, townspeople and outsiders all take that same route.

Above the gate, a carved relief proclaims the importance of this site and the town. The Dordtse Stedemaagd sits in her Holland Garden, a palmleaf in one hand and the

Boven de poort geeft een gebeeldhouwd reliëf de importantie van deze plek en de stad aan. De Dordtse Stedemaagd zit in haar Hollandse Tuin, met een palmtak in de ene en het stadswapen in haar andere hand. De wapens van vijftien andere Hollandse steden omringen haar.

De wulps geklede vrouw symboliseert de onneembaarheid van de stad. De Groothoofds- poort is één van de twee overgebleven Dordtse waterpoorten, de scherp bewaakte toegangen van de binnenstad. Ze waren niet langer nodig en werden één voor één afgebroken. De Groot- hoofdspoort bleef vanwege zijn historische betekenis gespaard. Hij is tussen 1440 en 1450 ge- bouwd. Om de laatgotische poort heen is in 1617/18 een nieuwe renaissancepoort gebouwd.

Aan de andere kant van de poort kijken gasten van het naastgelegen Hotel Bellevue, logement sinds 1740, uit over de Wijnstraat en de Wijnhaven. Het is de oudste haven van de stad. Nu ligt het er vol met witte plezierbootjes, vroeger met kleine werkschuiten. Handelslieden voerden er graan, groenten, vlees, huiden en wol aan en zorgden voor luidruchtige bedrijvigheid op de kaden.

Stad van de poorten: Groothoofdspoort aan landzijde (links), Muntpoortje (midden), Catharijnepoort (rechts).
Town of gateways: the town side of Groothoofdspoort (left), the entrances to Muntpoortje (centre), Catharijnepoort (right).

town arms in the other, surrounded by the arms of fifteen other Holland towns. The voluptuously dressed woman symbolises the impregnability of the town. The Groothoofd gate is one of Dordrecht's two remaining watergates, the well-guarded entrances to the town centre. When they were no longer needed, they were demolished one by one, but the Groothoofd gate was spared because of its historical significance. It was built in the late-gothic style between 1440 and 1450 and a new renaissance gate was built around it in 1617–18.

On the other side of the gate, guests in the neighbouring Hotel Bellevue, which has been offering accommodation since 1740, look out over the Wijnstraat and the Wijn- haven, the oldest harbour in the town. Today it is full of pleasure craft, but in the past it would have been the little barges which carried grain, vegetables, meat, furs and wool for the merchants who created the noisy activity on the quays.

Het hekwerk van Simon van Gijn - Museum aan Huis werpt zijn schaduw.
The shadow of the railings of the Simon van Gijn - Museum aan Huis.

Drie-rivierenpunt bij Dordrecht, op de noordelijke
helft. Links ligt Papendrecht, rechts Zwijndrecht.
De rivieren Beneden Merwede (links), Oude Maas
(rechts) en Noord (onderin) komen hier samen.
The triple river-junction at Dordrecht from the north.
Papendrecht is to the left and Zwijndrecht to the right.
The Beneden Merwede (left), Oude Maas (right) and
Noord (bottom) flow together here.

In de Thuredrith ligt de oorsprong

Aan deze plek heeft Dordrecht veel te danken: allereerst zijn naam. Hier lag de vroegere monding van de Thuredrith. Die klank draagt de huidige stadsnaam al in zich. Hier ligt ook de oorsprong van de stad, al is daarover het laatste woord nog niet gezegd. Op beide oevers van het riviertje moeten de eerste Dordtenaren zich rond het jaar 1000 hebben gevestigd. Het was een van de schaarse droge plekken in de wijde omgeving. De bewoners van de nederzetting legden zich toe op de ontginning van het veenmoeras dat Holland in die tijd was. Na verloop van tijd bleek de woonkern strategisch zeer gunstig gelegen: aan het kruispunt van handelswegen, die toen grotendeels over water liepen. De nederzetting kreeg al snel de omvang en status van een echte stad. Omstreeks 1200 dook de naam voor het eerst als stadsnaam in een oorkonde op. Twintig jaar later schonk de Hollandse graaf Dordrecht stadsrechten. Het was de eerste keer dat hij dit soort privileges verleende. Dordrecht mag zich daarom de oudste stad van Holland noemen.

In de dertiende eeuw kondigde zich een periode van grote voorspoed aan. Dordt zou gedurende langere tijd een van de belangrijkste handelsplaatsen in West-Europa worden, mede dankzij de exclusieve tolheffingen.

De Wijnhaven en Wijnstraat vormden het centrum van het commerciële verkeer. De *grand commerce* was de wijnhandel. Lichte Duitse rijn- en moeselwijnen waren het talrijkst van alle goederen die stroomafwaarts kwamen. De zwaardere Franse wijnen kwamen later. De vaten werden opgeslagen in koele, vochtige kelders, waar de stad befaamd om was. Wijnhandelaren vergaarden fortuinen en klommen op tot de stedelijke elite. De graaf van Holland had er vlakbij een woning in zijn eigen domein. In de huidige Wijnstraat getuigen huizen met opschriften als Bordeaux nog van de grandeur die de wijnhandel voortbracht. In dit deel staan meer huizen van grote historische waarde, zoals het West-Indisch Huis en 't Zeepaert. Laatstgenoemd koopmanshuis, op nummer 113, heeft een grote natuurstenen gotische gevel. Het aangezicht en interieur verkeren in authentieke staat en dateren van omstreeks 1490, zo heeft onderzoek uitgewezen. Daarmee is 't Zeepaert een van de oudste woonhuizen van Nederland dat compleet en intact is gebleven. Even verderop, op nummer 123/125, staat een proeve van bekwaamheid van de

Everything springs from the Thuredrith

Dordrecht has much to thank its site at the mouth of the Thuredrith for. In the first place, its name and, even though some questions remain, the town's origins are here too. The first Dordrechters must have settled on the two banks of the stream, in about the year 1000. It was one of the few dry places in a wide area. The inhabitants of the settlement got down to reclaiming the peat bog that Holland was at the time. In the course of time, the settlement proved to have an excellent strategic site, at a crossing of trade routes, many of which followed the water in those days. The settlement quickly grew to the size and status of a real town, named as such for the first time in a document dating from about 1200. Twenty years later, the count of Holland granted Dordrecht its charter and as it was the first time that he had granted this type of privilege, Dordrecht is able to call itself Holland's oldest town.

The thirteenth century saw the start of a period of great prosperity. For many years, Dordrecht was one of the principal trading places in western Europe, partly because of its exclusive tolls. Commerce centred on the Wijnhaven and Wijnstraat. The main business was trade in wines mainly light Rhine and Moselle wines brought downstream from Germany. Heavier French wines came later. The casks were stored in the cool, damp cellars that the town was famous for. Wine merchants amassed fortunes and rose to the civic elite. The count of Holland lived nearby on his own estate. Houses along the Wijnstraat with inscriptions such as 'Bordeaux' are reminders of the splendour brought by the wine trade. There are other houses of great historic value, such as the West-Indisch Huis and, at number 113, a merchant's house with a huge stone gothic façade, called 't Zeepaert. Research has shown that its appearance and interior are authentic and date from about 1490, making 't Zeepaert one of the oldest complete and intact dwelling houses in the Netherlands. A little further along, at number 123/125, there is an example of the skill of the renowned architect Pieter Post, who also designed the Mauritshuis in The Hague. This Dordrecht house has the wonderful name *De Onbeschaamde* (the shameless) after the naked man, high on the wall, who looks down on the

Verweerde stenen kop Catharijnepoort.
Weathering on the Catharijnepoort.

Decoraties boven de deur van het West-Indisch Huis, Wijnstraat 87.
Bovenin een suikerbrood.
Decoration over the door of the West-Indisch Huis, 87 Wijnstraat. To the top a sugar loaf.

Wolwevershaven 21.
21 Wolwevershaven.

Zeemeerman- en zeemeermin op het huis Bever-Schaep aan de Korte Engelenburgerkade 18.
The merman and mermaid on the Bever-Schaep Huis at 18 Korte Engelenburgerkade.

vermaarde architect Pieter Post, die ook het Haagse Mauritshuis ontwierp. Het Dordtse huis draagt de wonderlijke naam *De Onbeschaamde*. Een bloot ventje is voor de naamgeving verantwoordelijk. Hoog in de gevel kijkt hij wijdarms en ongegeneerd de voorbijgangers onder hem na. Alleen toen koningin Wilhelmina op een dag een feestelijke rijtoer door deze straat maakte, liet het lokale gezag het geslachtsdeel van het kereltje met een sjerp bedekken.

Dat vorsten de Wijnstraat kwamen bekijken, behoeft geen verwondering. De monumentale straat met zijn voorname bochten is de mooiste van de stad en, volgens velen, een van de elegantste van het land. Hij loopt eindeloos lang door, verderop onder andere namen, langs het stadhuis tot aan de Grote Kerk.

Huizen aan de Kuipershaven, met links de Damiatebrug.
Houses on the Kuipershaven, with the Damiatebrug to the left.

passers by, arms spread and without shame. The local authorities preserved the man's honour with a sash when Queen Wilhelmina passed by in a ceremonial procession.

It is no surprise that royalty come to admire the Wijnstraat which, curving elegantly, is the most attractive in the town and one of the most stately in the country. The historic street runs the whole way, under various names, past the town hall to the Grote Kerk.

Beelden van beroemde inwoners

O nderweg passeren we nog twee standbeelden van stedelingen die meetelden in de wereld. Op het plein dat naar hem vernoemd werd – een eer omdat Dordt een pleinarme stad is – staat Ary Scheffer op zijn sokkel. Buiten de landsgrenzen genoot de schilder grotere faam dan in de stad waar hij in 1795 werd geboren. In Parijs was de Rafaël van Holland nadien een van de beroemdste en best betaalde kunstenaars van zijn tijd. Terwijl Scheffers roem taande, rees die van een collega tot grenzeloze hoogte. Vincent van Gogh werkte enige tijd aan hetzelfde plein in een boekhandel. Hem is alleen – in een anoniem zijstraatje – een sobere gedenksteen gegund.

Twee Dordtse broers uit een voornaam regentengeslacht hebben wel een opvallend standbeeld gekregen. Johan en Cornelis de Witt (de ene staat de ander zit, zoals Dordtenaren plachten te zeggen) kijken even verderop uit over de Visbrug en de Groenmarkt, het verlengde van de Wijnstraat. In de Gouden Eeuw hebben zij zich weten op te werken tot de machtigste posities in stad, land en wereld. Johan (1625–1672) werd pensionaris in zijn eigen stad en raadspensionaris van Holland, in die tijd één van de invloedrijkste functies in West-Europa. Hij liet tijdens diverse oorlogen de vloot uitvaren ter verdediging van de vaderlandse handelsbelangen. Zijn broer Cornelis (1623–1672) genoot als burgemeester en pensionaris iets minder aanzien. Maar net als zijn broer was hij in bepaalde kringen een gevreesd politicus. Monarchisten verdachtten hem van republikeinse sympathieën. Hij zou samenzweren tegen stadhouder Willem III. Zonder sluitend bewijs beval het gerechtshof hem op te sluiten in de Haagse Gevangenpoort. Johan bracht hem daar op 20 augustus 1672 een gedurfd bezoek. Een opgehitste, Oranje-gezinde volksmassa sleepte de broers naar buiten en scheurde hen in stukken.

De rust rond de broers is nu teruggekeerd. Op de trappen hebben ze alle tijd voor hun overpeinzingen. Zouden ze hun bronzen hoofden naar links kunnen draaien, dan zouden ze een goed uitzicht hebben op één van de mooiste gevels van de stad. Op de T-splitsing van straten staat het gebouw de Gulden Os. De prachtige natuurstenen gotische trapgevel is in 1523 opge-

Statues of famous citizens

O n the way, we pass two statues of citizens who made a name in the world. Ary Scheffer stands on a plinth in the square named after him – no small honour, since Dordrecht does not have many squares. The artist enjoyed greater fame abroad than in the town where he was born in 1795. In Paris, the 'Rafaël of Holland' was one of the most famous and well-paid artists of his time. As Scheffer's fame waned, that of a fellow artist rose to vast heights. Vincent van Gogh worked for a while in a bookshop on the same square but he only has a modest commemorative stone in an anonymous side street.

A little further along, two brothers of a leading Dordrecht family are commemorated in a striking statue. Johan and Cornelis de Witt look out over the Visbrug and the Groenmarkt, which the Wijnstraat has become. During the Golden Age, they managed to gain the most powerful positions in the town, country and world. Johan (1625–1672) was Pensionary in his own town and Grand Pensionary of Holland, one of the most influential positions in western Europe at the time. During various wars, he sent the fleet out to defend the nation's trading interests. His brother Cornelis (1623–1672) enjoyed a little less distinction as burgomaster and Pensionary, but, like his brother, he was a feared politician in some circles. Monarchists suspected him of republican sympathies; he was said to have conspired against William III. Despite having no real proof, the court ordered him to be held in the Gevangenpoort prison in The Hague. Audaciously, Johan visited him there on 20 August 1672 but a furious, pro-Orange mob dragged the brothers out and tore them to pieces.

Peace has now returned to the brothers. On the steps, they have all the time in the world for their thoughts. If they were to turn their bronze heads to the left, they would have a good view of one of the best façades in the town – the Gulden Os stands at the junction of the streets. Its splendid gothic step gable was built in 1523 and the reason for the name, a gleaming gilded ox, stands above the blue-grey stones and red

Standbeeld van Johan en Cornelis de Witt, met erachter de gotische gevel van de centrale openbare bibliotheek. Statue of Johan and Cornelis de Witt, with the gothic façade of the main public library behind.

bouwd. Bovenop de blauwgrijze stenen met roodwitte luikjes ligt de naamgever: een glanzende vergulde os. Het dier herinnert nog aan de vele slagers die deze contreien ooit telden. Nu huisvest het monument de Dordtse openbare bibliotheek, die in 1899 als eerste in het land begon met het uitlenen van boeken aan burgers.

Voor wie van echt oude en bijzondere huizen houdt, valt in dit gebiedje trouwens toch veel te zien. Schuin aan de overkant van de Gulden Os, feitelijk achter de ruggen van de gebroeders De Witt, staat een huis met een type gevel dat alleen in deze stad is terug te vinden. De 'Dordtse gevel' heeft boven de ramen een motief van klaverbladen en lelies. Kleine gebeeldhouwde kopjes vormen de draagstenen voor de bogen die bladen en bloemen omspannen.

Nog zo'n zeventig van deze gevels zijn bewaard gebleven van de achthonderd die er ooit waren. Ze werden gemetseld in de periode van 1650 tot ongeveer 1800, zonder grote veranderingen in het ontwerp. Wie argeloos omhoog kijkt zal denken dat de laatste huisjes op instorten staan, zo ver hellen de gevels voorover. De geschiedenis bedriegt hier de moderne mens. De geveltoppen zijn welbewust 'op de vlucht' gebouwd; ze neigen naar de straat. Het huis is zo beter beschermd tegen de regen. En bij verhuizingen konden bewoners gemakkelijker hun huisraad naar binnen takelen. Daar kwam misschien de ijdelheid van de bouwers en metselaars nog bij: passanten konden hun meesterproeven op deze wijze beter bekijken.

Dat doen ze nu nog, de pas inhouden en omhoog kijken. Mensen van buiten staan iets vaker stil dan Dordtenaren, voor wie de gevelversieringen zo gewoon zijn in het stadsbeeld. Zie ze eens haastig de Vleeshouwersstraat in schieten, een intiem zijstraatje van de Groenmarkt. Het is een schoolvoorbeeld van tijdige bezinning en plotseling ontwakend historisch besef. Het smalle straatje, waarover documenten al begin 1400 spraken, was lang een van de drukste verbindingen tussen de rivieren, havens en het centrum. Niemand riep vorige eeuw het verval een halt toe. Het scheelde weinig of het straatje, en daarmee weer een deel van de zichtbare geschiedenis, was tegen de vlakte gegaan. Restauratie bracht het leven terug in de afgeschreven huisjes en winkelpanden. Het is er weer druk als vroeger.

Voormalige watertoren bij het Wantij, waar een deel van de nieuwe wijk Stadswerven zal verrijzen.
Former water-tower on the Wantij, where part of the new Stadswerven neighbourhood will be built.

and white shutters. The creature is a reminder of the many butchers of this area. The building now houses Dordrecht's public library, which in 1899 became the first in the country to lend out books to citizens.

This district has much to offer those who love genuinely old, special houses. Just across from the Gulden Os, in fact behind the De Witt brothers, there is a house with a style of gable only found in this town. The 'Dordrecht gable' has a pattern of cloverleaves and lilies above the windows. Small sculpted heads support the bows linking the leaves and flowers.

About seventy such gables survive of the original eight hundred. They were constructed between 1650 and about 1800, with no major changes in the design. An unsuspecting visitor looking up may fear that the later houses are about to fall down, because their gables lean so far forward but the gable tops were deliberately built to lean forward to protect the house better against the weather and so that the inhabitants could hoist up their possessions more easily when moving house. Another factor could be the vanity of the builders as passers-by get a chance to admire their workmanship.

Visitors still take that opportunity, slowing down and looking up. Outsiders stop a little more often than Dordrechters who are so used to the decorations in the townscape. Watch them darting into the Vleeshouwersstraat, an intimate side-street off the Groenmarkt. It is a textbook example of the timely realisation and sudden awakening of an awareness of history. For a long time, the narrow street, referred to in documents from the early 1400s, was one of the busiest links between the rivers, ports and the centre. No-one tried to stop the decline in the last century – it did not matter whether the street and, therefore, part of history, was demolished. Restoration however, has brought the neglected houses and shops back to life and the street has become as busy as it ever was.

Op andere historische plaatsen was in voorgaande jaren voor sloop al te gemakkelijk opdracht gegeven. In naam van de vooruitgang werden in het stadshart gaten geslagen en gevuld met stijlloze nieuwbouw. De kentering in het denken – vernieuw, maar behoud de historische identiteit – kwam juist op tijd en spaarde veel van wat Dordtenaren nu als hun stedelijke trots ervaren.

Wantij met de molen Kyck over den Dyck op de achtergrond.
The Wantij with the Kyck over den Dyck mill in the background.

Too often in the past demolition was the easy option for other historic sites. Gaping holes were smashed into the heart of the town and filled with uninspired, new buildings in the name of progress. The change in thinking – modernise, but retain historical identity – came just in time to save much of what Dordrechters now recognise as their urban glory.

Het oude stadhuis is in trek bij bruidsparen.
The old town hall is a popular place for weddings.

Van markthal tot stadhuis

Wat goede restauratie vermag, is aan het stadhuis te zien, een paar tellen lopen vanaf de Vleeshouwersstraat. De imposante neoclassisistische voorzijde met zijn leeuwen en zuilen ligt aan een pleintje dat bijna wegvalt bij de statuur van het gebouw. De tijd heeft verschillende lagen gelegd over de in 1383 gebouwde markthal. Vlaamse kooplieden verhandelden er hun lakense stoffen. Zo'n aanzienlijk gebouw wilden de regenten van die tijd ook wel benutten. In 1544 namen ze de marktkoopplaats als Stedehuys in gebruik. Het onderging in de loop van de tijd een reeks van aanpassingen en restauraties. De belangrijkste verbouwing had plaats tussen 1834 en 1845. In de geest van de toenmalige tijd transformeerde stadsarchitect G.N. Itz het middeleeuwse stadhuis naar Grieks-Romeins voorbeeld in een statige, representatieve bestuurstempel. In 1985 volgde een grootscheepse restauratie van zijn bedenksel, waarbij de oorspronkelijke gotische delen werden behouden.

Terwijl de ambtenaren al eerder hun werk vanuit het nieuwe Stadskantoor aan de Spuiboulevard waren gaan verrichten, bleven de leden van de gemeenteraad in het oude stadhuis vergaderen. En natuurlijk doen Dordtse geliefden in dit stedelijk droompaleis elkaar beloften van eeuwige trouw. Te voet, in koetsjes of rode Ferrari – voor de kerkelijke inzegening gaan velen vervolgens via de Grotekerksbuurt naar de Grote- of Onze Lieve Vrouwekerk. Zijn achterwerk blokkeert abrupt de lange, drukke straat die we al vanaf de Groothoofdspoort volgden. Rond de kerk is het stil. Bij de kerkhuisjes op de Pottenkade, onderlangs de basiliek, verstoren alleen de zware basklokken hoog in de toren van tijd tot tijd de kalme sfeer.

Met zijn karakteristieke stompe toren is de Grote Kerk al eeuwenlang het gezichtsbepalende bouwwerk van Dordrecht. Hoeveel schilders en fotografen hebben niet aan de overzijde van de rivier gestaan om vast te leggen wat al die anderen vóór hen ook al zagen? Behalve schilders lieten ook schrijvers zich door de indrukwekkende toren inspireren. F. Bordewijk zag in

From market hall to town hall

The benefits of good restoration can be seen at the town hall, a few moments walk from the Vleeshouwersstraat. Its imposing neo-classical façade with lions and columns stands on a small square which fades under the stature of the building. Its started life in 1383 as the market hall, where Flemish merchants traded their cloth. The authorities wanted such a distinguished building for their own use and in 1544 they took it over as the town hall. Over time, it has undergone a series of modernisations and restorations. The most extensive rebuilding was done between 1834 and 1845 when, in the spirit of the time, the town architect G.N. Itz transformed the mediaeval town hall into a stately temple of government in the Greco-Roman style. In 1985 there was a major restoration of his creation, which retained the original gothic elements.

The officials left to work in the new civic offices on the Spuiboulevard, but the council still meets in the old town hall. And of course wedding ceremonies are still held in this municipal palace before the happy couples go on foot, in a coach or sometimes even in a red Ferrari through the Grotekerksbuurt to the Grote- or Onze Lieve Vrouwekerk for the church's blessing. The back of the church marks a sudden end to this long, busy street which we have followed from the Groothoofd gate. Around the church it is quiet with the calm around the houses on the Pottenkade, around the church, being broken occasionally by the heavy bass bells high up in the tower.

The Grote Kerk and its distinctive squat tower have been the dominant feature of Dordrecht for hundreds of years. How many artists and photographers have crossed the river to record what all the others before them had already seen? Not just artists, but writers too have been inspired by the impressive tower. F. Bordewijk detected the character of the town in the Grote Kerk, which he called 'regal and

*Korenmolen Kyck over den Dyck, uit 1713, in
de volksmond Kiek-over-den-diek genoemd.*
The Kyck over den Dyck mill, dating from 1713, is
known locally as the Kiek-over-den-diek.

Grotekerksbuurt, met klok Grote Kerk weerspiegeld.
The Grotekerksbuurt and a reflection of the Grote Kerk clock.

de Grote Kerk het karakter van de stad terug, die hij 'vorstelijk en beklemmend' noemde. Aan de voet van de 72 meter hoge toren maakte hij de volgende notities voor zijn boek *Dordt Paardekracht*:

> *'De toren hief met uiterste gespannenheid van krachten en allervreemdst vier uurborden de lege lucht in, en is zo verstijfd. En kerk en toren zitten zo breed in dat theater aan het water, zij zitten op de beste plaatsen, zo breed dat zij ander toeschouwers verdrukken.'*

De toren dateert uit de vijftiende eeuw. Hij had volgens het oorspronkelijk ontwerp veel hoger moeten zijn en een spits moeten dragen. Tijdens de bouw zakte de twaalf miljoen kilo stenen al zover weg in de onderliggende kleilaag, dat de arbeiders hun werk moesten staken. Nu nog staat het gevaarte 2,25 meter uit het lood. De vrees voor omvallen waart nog altijd bij omwonenden rond, ook al verzekeren deskundigen dat het moderne fundament alle lasten kan dragen. Bij aanvang van het nieuwe millennium werd zelfs een uitgebreid carillon in gebruik genomen. Achttien nieuwe beiaardklokken, waaronder de grootste en zwaarste van Europa, vullen het oude instrument aan en maken het tot één van de bijzonderste in de wereld. In het brons zijn dichtregels gegraveerd, zoals van de Dordtse dichteres Marieke van Leeuwen. Haar tekst loopt nooit eindigend rond een klok:

> *'…de stad waar hoog een halve toren staat,*
> *een klok haar bronzen klanken uitzingt*
> *en de Oude Maas de echo meevoert*
> *naar het zilte eindeloze schuim vanuit…'*

De kerk zelf dateert van vroeger en is gebouwd op een plaats waar omstreeks 1030 vermoedelijk al een kapel stond. Uit deze tijd stamt een ongeloofwaardig, maar mooi verhaal over een vroom meisje, Sura. Zij zou uit eigen zak drie werklieden hebben betaald om de kerk te bouwen. Haar

Twee saters uit de Griekse mythologie dragen de hijsbalk aan de Kuipershaven 18.
Two satyrs from Greek mythology bear the hoisting beam at Kuipershaven 18.

severe'. At the foot of the 72 metre tall tower, he made the following note for his book *Dordt Paardekracht*:

> *'Strangest of all and with the greatest effort, the tower lifts four clocks up to the empty sky, and is frozen there. And church and tower dominate that theatre on the water, they stand on the best site, so immense that they overwhelm other onlookers.'*

The tower dates from the fifteenth century. Originally it was planned to be much taller and to have a spire but during the building work the twelve thousand tons of stone sank so deep into the clay that the labourers had to stop work and the colossus now stands two and a quarter metres out of true. The neighbours have always been afraid that it would fall even though experts insist that the modern foundations can bear the entire load. In fact, the carillon was expanded for the new millennium. Eighteen new bells, including the largest and heaviest in Europe, complement the old instrument and make it one of the most exceptional in the world. The bells are engraved with words by the Dordrecht poetess, Marieke van Leeuwen, which run round them without end:

> *'… the town where a half tower stands high,*
> *a bell sings out its bronze sounds*
> *and the Oude Maas carries the echo*
> *to the salty, endless foam from …'*

The church itself is older and is probably built on a site of a chapel dating from about 1030. There is an attractive legend from those times about a pious girl, Sura, who is supposed to have paid three workmen from her own pocket to build the church. They

onuitputtelijke rijkdom was voor deze mannen aanleiding om haar te vermoorden. Maar Sura bleek over wonderbaarlijke krachten te beschikken. Ze stond weer op uit haar graf. Ze bepleitte de vrijlating van de mannen, die al spoedig waren gearresteerd. Daarna voltooiden ze gezamenlijk het werk.

De huidige Brabants-gotische vorm kreeg de basiliek pas na de stadsbrand van 1457. Het interieur is van nog later. Tot de grootste kostbaarheden horen de koorbanken. Het geraffineerde houtsnijwerk uit de vroege Renaissance trekt bewonderaars uit de hele wereld. Ze komen ook voor de weelderige preekstoel, het koorhek en het orgel.

Gezicht op Dordrecht.
View of Dordrecht.

murdered her for her inexhaustible wealth. But Sura had miraculous powers. She rose up from her grave and begged for the men, who had quickly been arrested, to be released and afterwards they completed their work.

The church only took on its current Brabant Gothic shape after the town fire of 1457. The interior is of a later date and one of its greatest treasures is the choirstalls. The fine early-Renaissance carving attracts admirers from all over the world who also come to see the ornate pulpit, choir screen and organ.

Grote of Onze Lieve Vrouwekerk met links het Maartensgat en
linksboven de Nieuwe Haven.
The Grote Kerk (dedicated to Our Lady), with the Maartensgat to the left
and the Nieuwe Haven to the top left.

Stad

van

kerken

Dordrecht is altijd een stad geweest van kerken. Het hervormd-christelijke geloof bepaalt in veel geledingen van de bevolking nog steeds het denken en handelen. Verhoudingsgewijs heeft de stad weinig oorlogen om land gekend, des te meer strijd om het geloof. Velen meenden de Waarheid te verdedigen. De laatste honderden jaren droeg Dordt, gelegen te midden van de kerkelijke Hoeksche en Alblasserwaard, een calvinistisch stempel. Het was streng in de leer en godvrezend. Zo is het niet al die tijd geweest. Daarvóór heeft het roomskatholicisme vierhonderd jaar lang haar invloed doen gelden, al zijn de sporen daarvan goeddeels uitgewist. En nu telt Dordt ook nog duizenden moslims, die in drie moskeeën hun geloof belijden. De stad krijgt wereldse trekken.

De stad heeft in de Nederlandse kerkgeschiedenis een prominente rol gespeeld. Eén kerkscheuring heeft zich in het denken verankerd. In 1618 en 1619 beslechtten hervormden uit heel Europa hun godsdienstige en politieke ruzies. Verlichte denkers stonden lijnrecht tegenover orthodoxe geloofsgenoten.

Deze Nationale Synode, in de afgebroken Kloveniersdoelen, was een marathonvergadering van 180 zittingen. Ze leidde tot grote maatschappelijke veranderingen. De calvinistische leer werd er vastgesteld en de (verlichte) remonstrantse visie veroordeeld. De leden van de Synode namen nog een ingrijpend besluit. Ze lieten de bijbel in het Nederlands vertalen. Voor veel Nederlandse schrijvers vormde deze Statenbijbel inspiratie. Het boek werd de grondslag voor de taal die we nu nog spreken en schrijven.

Synodeleden zullen in die tijd regelmatig het Steegoversloot zijn overgestoken om in de Augustijnenkerk te bidden voor wijze besluiten. De kerk staat met zijn voorkant in een bocht van de Voorstraat, een beetje ongemakkelijk tussen de winkelpuien. Het gebouw, met fundamenten uit 1293, behoorde lang geleden tot een kloostercomplex dat erachter lag. De augustijner monniken begonnen in de zestiende eeuw in het diepste geheim de protestantse geloofsleer uit te dragen. Het was een welhaast provocerende houding in het overwegend katholieke Dordrecht. De Augustijnenkerk werd een 'broeinest der ketterij'. Pas na de Reformatie in 1572 gaven de lo-

Town

of

churches

Dordrecht has always been a town of churches. The town has seen relatively few conflicts for land, but greater battles for the faith, with many believing they were defending the Truth. The reformed faith still guides the thoughts and actions of many sections of the community. In recent centuries, Dordrecht, at the centre of the religious Hoeksche and Alblasserwaard districts, has borne the mark of Calvinism, with its strict and god-fearing teaching. It was not always the case as, formerly, Roman Catholicism held sway for four hundred years, although there are few remaining traces of this. The town now also has thousands of Moslems, who practice their faith in three mosques, and Dordrecht also has a secular side.

The town has played a prominent role in Dutch religious history. One schism took deep root. In 1618 and 1619, protestants from all over Europe failed to settle their religious and political differences. Enlightened thinkers were directly opposed to orthodox believers.

This National Synod, in the now-demolished Kloveniersdoelen, was a marathon meeting of 180 sessions which led to huge social change. Calvinist teaching was established and the (enlightened) remonstrants' ideas were condemned. The members of the Synod took another far-reaching decision, to have the Bible translated into Dutch. The Statenbijbel has been an inspiration for many Dutch writers, becoming the foundation for the spoken and written language to this day.

The members of Synod would have regularly crossed the Steegoversloot to the Augustijnenkerk to pray for wisdom in their deliberations. The church stands with its front on a bend in the Voorstraat, a little awkwardly among the shop-fronts. The building, whose foundations date from 1293, was once part of a monastery complex that stood behind it. In the sixteenth century, the Augustinian monks began, in the deepest secrecy, to promote protestant teaching. This was very provocative in overwhelmingly catholic Dordrecht and the Augustijnenkerk became a 'hotbed of

kale autoriteiten de kerk vrij voor de hervormden. Die belegden kort daarop de eerste openbare kerkdienst van Nederland.

De Augustijnenkerk behield zijn betekenis, al bleef ze in de schaduw staan van de Grote Kerk. Zo'n tienduizend Dordtenaren lieten zich er begraven, onder wie de wereldberoemde schilder Aelbert Cuyp.

In het kleine gebied rond de Augustijnenkerk is nog meer grote vaderlandse geschiedenis geschreven. Het kloostercomplex, nu 't Hof geheten, bood in juli 1572 onderdak aan de Eerste Vrije Statenvergadering. Alle twaalf steden van Holland, met uitzondering van Amsterdam, namen aan de onwettige bijeenkomst deel. In tegenwoordigheid van afgezanten van Prins Willem van Oranje namen ze eensgezind het besluit de opstand tegen de Spaanse overheersers te steunen. Ze kozen Prins Willem van Oranje tot hun enige stadhouder. Met de Unie van Dordrecht (1575), waarin de grondwet werd vastgelegd, geldt de Statenvergadering als het begin van de zelfstandige Nederlandse staat.

De vergaderplaats groeide uit tot een residentie voor vorsten, landvoogden en andere hoogwaardigheidsbekleders. Willem van Oranje verbleef er niet alleen vaak, hij trouwde er zelfs. Honderden gasten woonden in 1575 zijn huwelijk met Charlotte de Bourbon bij. De prins kwam graag naar Dordrecht en bezocht regelmatig de wijnhandelaar Matthijs Berck. Diens langgerekte woning, de Berckepoort, ligt nu nog naast 't Hof en is via de zwaar gerestaureerde Hofstraat te bereiken. Sinds enige jaren is Bercks huis het culturele bastion voor de amateur, die er zich kan bekwamen in dansen, acteren, schilderen, fotograferen en wat al niet meer.

Niet ver daar vandaan werken professionele kunstenaars in het Teekengenootschap Pictura, de oudste kunstenaarssociëteit van Nederland. Ze komen al sinds 1774 samen, al sinds honderd jaar in de voormalige burgemeesterswoning 'Oostenrijck' aan de Voorstraat 190. De Picturianen gunden ook Dordtse schrijvers en dichters atelierruimten, zoals Kees Buddingh' en Jan Eijkelboom.

Kunst en geld verkeerden hier heel lang in elkaars directe nabijheid. Enkele meters verderop zijn nog de restanten terug te vinden van Hollands vroegere financiële hart. Het Muntpoortje met zijn korintische kapitelen geeft er toegang tot het Muntgebouw.

Achterkant van 't Hof, in het bijzonder de Statenzaal.
Rear of 't Hof, highlighting the Statenzaal.

heresy'. Only after the Reformation in 1572 did the local authorities release the church for the protestants who shortly afterwards convened their first public church service in the Netherlands.

The Augustijnenkerk was important, although overshadowed by the Grote Church. About ten thousand Dordrechters, including the world-famous artist Aelbert Cuyp, were buried there.

More of the history of the Netherlands has been written in the small area around the Augustijnenkerk. In July 1572, the monastery complex, now known as 't Hof, was home to the first meeting of the Estates of the Seven Provinces. All twelve towns of Holland except Amsterdam took part in this unlawful meeting. In the presence of representatives of Prince William of Orange, they decided unanimously to support the revolt against the Spanish and chose Prince William as their sole Stadholder. Along with the Union of Dordrecht (1575), which set out the constitution, the meeting of the Estates marks the beginning of the independent Dutch state.

The meeting place grew into a residence for royalty, governors and other high office holders. William of Orange not only stayed there often but he even married there. Hundreds of guests attended his wedding to Charlotte de Bourbon in 1575. The prince enjoyed being in Dordrecht and paid regular visits to a wine merchant, Matthijs Berck, whose large house, the Berckepoort, is now next to 't Hof and can be reached through the much-restored Hofstraat. For some years, Berck's house has been a cultural home for amateur artists, where they can develop their skills in dance, acting, painting, photography and many other activities.

The professional artists in the Teekengenootschap Pictura, the oldest artistic society in the Netherlands work not far away. They have been meeting since 1774, for a hundred years in the former burgomaster's house 'Oostenrijck' at 190 Voorstraat. The Picturians also offered studio space to Dordrecht writers and poets such as Kees Buddingh' and Jan Eijkelboom.

Dordrecht sloeg bijna vier en een halve eeuw lang (1367–1806) volgens exclusief recht de munten van Holland. In voorspoedige tijden vergaarden zestien munters er hun inkomen. In de Franse bezettingstijd werd de Munt naar Utrecht verplaatst. Daarna kreeg het gebouw diverse bestemmingen, waaronder die van Toonkunstmuziekschool. Al anderhalve eeuw krijgen leerlingen achter de Muntpoort les.

Ondanks de komst van moslim-vrouwen draagt Dordrecht nog altijd een calvinistisch stempel.
Although it has a multicultural feeling, Dordrecht still bears the mark of Calvinism.

For a long time, art and money have been closely linked here. A few metres along are the remains of Holland's former financial heart where the Muntpoortje gate, with its Corinthian capitals, marks the entrance to the mint, the Muntgebouw.

For almost four hundred and fifty years, from 1367 to 1806, Dordrecht had the exclusive right to mint the coins for Holland. In prosperous times, it gave sixteen minters an income. The Mint was moved to Utrecht during the French occupation and the building has been used for various purposes since, including as the Toonkunst music school where students have been taught for a hundred and fifty years.

Ingang Arend Maartenshof.
Entrance Arend Maartenshof.

Schoonheid en ellende in hofjes

Als elke oude Hollandse stad telde Dordrecht ooit tientallen poorten en poortjes. De stad had veel te verbergen. Schoonheid en ellende gingen erachter schuil. Notabelen richtten er hun paradijselijke hoven in; zieken en oudelieden werden er opgesloten en vergeten.

De binnenplaatsen, steegjes en hofjes vervielen en begonnen te benauwen. Bestuurders voelden halverwege de vorige eeuw de drang om de stad open te gooien. In die zucht naar vernieuwing ging veel ten onder, ook stedelijk erfgoed dat bestuurders nu graag terug zouden willen halen.

Het allermooiste is gespaard gebleven. Wie door de stad wandelt, ontdekt links en rechts nog poortjes en onverwachte toegangen. Sommige leiden naar niets, andere naar kalme, besloten oorden. Achter de poorten liggen enkele van de laatste hofjes verborgen. De dertig huisjes en regentenkamer van de Wilhelminastichting, aan het Kasperspad, zijn nog niet zo oud. Maar hoewel pas uit 1927 ademt het geheel dezelfde rust en sereniteit als de eeuwenoude hofjes elders in de stad. De stichting die de huisjes liet bouwen, had tot doel 'aan vrouwelijk personeel, dat hun dienstbetrekking op trouwe wijze heeft vervuld, op ouderen leeftijd kosteloos een passende woning te verstrekken'. De huidige bewoners, nog altijd vrouwen, betalen inmiddels wel huur.

In de luwte van het centrale winkelgebied bevindt zich het veel oudere Regenten- of Lenghenhof. Het bestaat feitelijk uit vier hofjes, onderling met poorten verbonden. Zo heel veel is in al die tijd niet veranderd. De bewoners zijn nog meest oudere, ongetrouwde vrouwen, al is de leeftijd wel verlaagd. Zoals zoveel hofjes heeft het Lenghenhof zijn bestaan te danken aan een vrijgevige stadgenoot met burgerzin. De eerste huisjes voor de armlastige Dordtenaren werden al gebouwd, toen de steenrijke Dordtse koopman en reder Gijsbert de Lengh in 1755 overleed en de stad zijn fortuin naliet.

Een andere vermogende Dordtenaar, Arend Maartenszoon, schonk zijn geld en naam aan het grootste en bekoorlijkste hof. Gewetenswroeging moet hem tot deze daad van naastenliefde hebben gebracht. De speculant richtte zijn ziekelijke geldzucht op het weinige van inwo-

Beauty and suffering in the almshouses

Like every old Holland town, Dordrecht once had dozens of gateways and doorways. The town had much to hide and they concealed beauty and suffering. Prominent citizens set up their paradise-like almshouses where the sick and aged could be shut away and forgotten.

The courtyards and alleys deteriorated and started to be menacing and, in the middle of the last century, the administrators came under pressure to open up the town. Although much, including urban heritage they would now like to recover, was lost in that drive to modernise, the most attractive survived.

As you wander through the town, you still see doorways and unexpected passages to left and right. Some lead nowhere, others to quiet, enclosed spaces. Behind the doors lie the few remaining almshouses. The thirty houses and trustee's room of the Wilhelminastichting, on the Kasperspad, are not so old but, although they only date from 1927, the whole place has the same peace and serenity as the centuries-old almshouses elsewhere in the town. The aim of the foundation which built the houses was 'to provide suitable free accommodation during their old age to female servants who had discharged their work faithfully', but the current inhabitants, still all women, do now pay rent.

In the shadow of the central shopping area is the much older Regenten or Lenghenhof. It is in fact made up of four courtyards, linked to each other by gateways. Very little has changed over the long passage of time. The inhabitants are still mainly older, unmarried women, although the age has come down. Like many almshouses, the Lenghenhof owes its existence to a generous citizen with a social conscience. The first houses for poor Dordrechters had been built, when the rich merchant and ship owner Gijsbert de Lengh died in 1755 and left his fortune to the town.

Another wealthy Dordrechter, Arend Maartenszoon, gave his money and name to the largest and most attractive almshouse. The speculator must have been driven to this act of charity by pangs of conscience. His unhealthy greed was aimed at the

ners, die bij hem tegen woekerrentes leningen konden afsluiten. Bij de stad Dordrecht beheerde hij in de tussentijd de gemeentelijke financiën, vanzelfsprekend in ruil voor een vorstelijk salaris.

Met de stichting van het Arend Maartenshof, in 1625, kon hij zijn wringend geweten ontlasten. Achteraf heeft de stad er veel baat bij gehad. Het is nu één van de fraaiste plekken in de oude binnenstad. Bezoekers kunnen er via een rijk versierde renaissance-poort naar binnen. Rond de tuin met zijn hoge, twee eeuwen oude platanen liggen 38 huisjes. Het hof is het grootste in zijn soort van Nederland. Oorspronkelijk woonden er alleen arme, alleenstaande vrouwen en oorlogsweduwen. Nu zijn de woningen ingenomen door jongere vrouwen, echtparen en zelfs vrijgezelle mannen.

Ze leven in oude, verstilde sferen, een onwerkelijke enclave. Maar de moderne stad, weten ze, is vlakbij en al zichtbaar achter de daken.

Voormalige arbeiderswoningen in het Hallincqhof, in de zogeheten negentiende-eeuwse schil, die loopt rond de oude binnenstad.
Former workers' houses in the Hallincqhof, in the 'nineteenth-century layer' around the old town centre.

poorest inhabitants, who had to borrow from at exorbitant interest rates. He also managed Dordrecht's municipal finances, in exchange for a princely salary, of course.

By setting up the Arend Maartenshof, in 1625, he was able to salve his conscience. In the end, the town was the beneficiary as it is now one of the most attractive places in the old town centre. Visitors enter the courtyard, the largest of its type in the Netherlands, through a richly decorated renaissance gate. The 38 houses line the garden with its tall, two-hundred year old plane trees. Originally only poor, old unmarried women and war-widows could live there but the dwellings are now occupied by younger women, married couples and even unmarried men. They live in an ancient, quiet atmosphere, in an unreal enclave. But they know that the modern town is nearby, even visible over the roofs.

Zakkendragersstraat, Dordts smalste straatje.
The Zakkendragersstraat, Dordrecht's narrowest street.

Nieuwstraat 33.

Huis aan Wijnstraat 127, 'Dit is in Bevereburch', stamhuis uit 1556 van regentengeslacht Van Beveren.
127 Wijnstraat, 'Dit is in Bevereburch', dating from 1556, home of the Van Beveren family.

Statenplaats.

Hoek Kuipershaven-Aardappelmarkt.
Corner of Kuipershaven-Aardappelmarkt.

Doorkijkje naar Voorstraat vanuit het
straatje naast de Augustijnerkerk.
*Looking towards the Voorstraat from the
alley alongside the Augustijnerkerk.*

Voorstraatshaven tussen Scheffersplein en Wijnbrug.
Voorstraatshaven between the Scheffersplein and the Wijnbrug.

Damiatebrug over de Wolwevershaven.
The Damiatebrug over the Wolwevershaven.

GROOT BROE

MEMELICK

MVYEN

NAER

LEERDA

WES

VLAERDINO

SCHI

HOORN

OHERNICH

PAX CIVIVM ET CONCORDIA
TVTISSIME VRBEM MVNIVNT
MIHI DEVS IEHOVA

Reliëf van de Stedemaagd in de Groothoofdspoort
is omringd door de wapenschilden van vijftien
Hollandse steden.
The Stedemaagd on the Groothoofdspoort is surrounded
by the coats of arms of fifteen Holland towns.

De Gulden Os ligt bovenop de trapgevel van het
gelijknamige pand aan de Groenmarkt.
The Golden Ox on the step gable of the Gulden Os house
on the Groenmarkt.

Tuin van het Dordrechts Museum.
Garden of the Dordrechts Museum.

Zaal van Dordrechts Museum.
Space in the Dordrechts Museum.

Nog altijd oefenen schilders in Pictura zich in het modeltekenen.
Artists still practice sketching models in Pictura.

Detail van koorbanken, te weten een medaillon met Ecce Homo (Man van Smarten).
Detail of the choirstalls, a medallion with Ecce Homo (Man of Sorrows).

De renaissance koorbanken van de Grote Kerk, gemaakt in 1538. Het houtsnijwerk van Jan Terwen Aertszoon kent in Europa nauwelijks zijn gelijke.
The renaissance choirstalls in the Grote Kerk, dating from 1538. The carving by Jan Terwen Aertszoon is almost unequalled in Europe.

Kinderen vermaken zich in fontein van het Statenplein.
Children playing in the fountain on the Statenplein.

Stad van nu

The town of today

Het voetgangersgebied van de Sarisgang mondt uit in het Statenplein. De 33 meter hoge woontoren,
een ontwerp van de Belgische architect Charles Vandenhove, is een nieuw beeldmerk van de stad.
The pedestrian area from the Sarisgang reaches the Statenplein. The 33-metre high block of flats, designed by
Belgian architect Charles Vandenhove, is a new landmark for the town.

Stad van nu

Het centrum van Dordrecht is, net als andere steden, een microkosmos van de samenleving. Alle leven speelt zich er af. Vroeger was de levendigheid nog groter. Er was handel, er werd gewoond en de grootste inkopen werden er gedaan. En veel bedrijven, groot en klein, hadden zich in de binnenstad gevestigd.

De handel verdween het eerst. Hout- en wijnhandelaren vertrokken en boeren gingen hun producten op veilingen verkopen. De vele markten, voor eieren, vis en vee, werden opgeruimd. Eigenaren van bedrijfjes en fabrieken volgden de handelaren halverwege de vorige eeuw. Ze vestigden zich op speciale terreinen buiten de binnenstad. Wat bleef waren de bewoners. De binnenstad werd meer en meer woonstad. Het werk lag elders, ook buiten de stad, in Rotterdam en het Europoortgebied of verder. De Dordtenaren pendelden van huis naar werk en terug met een vanzelfsprekendheid alsof ze nooit anders hadden gedaan. Ze verlieten met het grootste gemak hun eiland. Maar ze kwamen er 's avonds ook graag weer naar hun huizen terug.

Met de bedrijvigheid verdween ook de vitaliteit uit de binnenstad. De laatste jaren keren ondernemingen weer terug, vooral kleine ambachtslieden. Er is ook andere werkgelegenheid gekomen, zoals in kantoren, winkels en horeca. De binnenstad komt weer tot leven. De openstelling van het vernieuwde Statenplein, in het najaar van 2001, heeft de trek naar de binnenstad versterkt. Bijna dertig jaar discussie ging vooraf aan de precaire operatie van het stadshart. Er kwamen luxe appartementen boven 45 eigentijdse winkels. De markt werd naar hier verplaatst. De kooplust nam toe, handel bloeide. Marktkooplieden in Dordrecht waren in het jaar 2003 uitverkorenen: ze stonden vrijdags en zaterdags op de beste markt van Nederland, zo had hun eigen brancheorganisatie bepaald.

Van alle werk is eenderde in het centrum te vinden, de rest erbuiten. De werkgelegenheid in Dordrecht kent een paar onderscheidende kenmerken: meer mensen dan elders in het land werken in de industrie, de bouw en het vervoer. De industrie heeft, met de scheepsbouw, altijd een belangrijke plaats ingenomen. De typisch Dordtse bedrijven zijn – onder andere namen – al geruime tijd in andere handen. De Meterfabriek werd eigendom van het Franse Schlumberger. Penn en Bauduin (onder meer bruggenbouw) ging samen met De Groot in Zwijndrecht en heette

The town of today

The centre of Dordrecht, like other towns, is a microcosm of the community. All life is there. In the past there was more activity and many businesses, large and small, were established in the town centre. There was trade, people lived there and it was where the shopping was done.

Trade disappeared first. Timber and wine merchants left and farmers began selling their producce at auctions. The many markets, for eggs, fish and cattle, closed down. In the middle of the last century, owners of the small businesses and factories followed the merchants, moving to special estates outside the town centre. The inhabitants remained and the town centre increasingly became a dormitory. The work was elsewhere, outside the town, in Rotterdam and the Europoort area or further afield. Dordrechters commuted from home to work and back as if they had never known anything else. They left their island with the greatest ease. But they were happy to return there each evening, to their houses.

The vitality disappeared from the town centre with the commerce. Businesses, especially craft workshops, have returned in recent years. Other work has come, in offices, shops and bars and restaurants. The town centre is coming back to life. The opening of the renewed Statenplein in the autumn of 2001 attracted more people to the town centre. This delicate operation on the heart of the town was preceded by more than 30 years of debate. It included luxury apartments above 45 modern-day shops. The market was relocated here, too, which brought more customers. Trade flourished and, in 2003, the market traders found themselves in a privileged position – according to their sector organisation, they were doing their business on Fridays and Saturday on the best market place in the country.

One third of all work is in the centre, the rest outside it. Employment patterns in Dordrecht are unusual in a couple of respects: more people work in industry, building and transport than elsewhere in the country. With shipbuilding, industry has always held an important place. For some time, long-standing Dordrecht businesses have been

voortaan Grootint. En slotenfabriek Lips kreeg ineens de toevoeging Chubb. Scheepsbouw en reparatiebedrijven ondergingen hetzelfde lot of verdwenen zelfs voorgoed, het gevolg van lagere lonen en protectionisme elders in de wereld.

Ervoor in de plaats kwamen andere bedrijven. De belangrijkste industriële producten zijn nu metaalwaren, machines en optische instrumenten. Maar ook kunstvezels zijn tegenwoordig een Dordts product. De vezels komen uit het complex van DuPont de Nemours. De komst van de Amerikaanse chemiereus doorbrak begin jaren zestig de eenzijdigheid die de metaalnijverheid de Drechtstreek had opgelegd. Na de Orlonfabriek, waar acrylvezels worden gemaakt, kwamen er ook eenheden voor lycra, delrin, thane en teflon. Ook wordt inmiddels viton, surlyn, formaldehyde en terathane geproduceerd. Voor leken zijn het namen uit een toverdoos, maar de halffabrikaten vormen de grondstof voor een veelheid aan gebruiksvoorwerpen die ons omringen: aanstekers, ritssluitingen, skischoenen, anti-aanbaklagen, autowassen, lingerie, luiers, dakbedekkingen, melkpakken en sluitingen voor parfumflesjes.

DuPont Nederland behoort tot de grootste werkgevers van Dordrecht. Slotenfabriek Lips komt er in de buurt. Dat geldt ook voor Drechtwerk, een industriële 'werkplaats' waar honderden verstandelijk gehandicapten emplooi hebben gevonden. Toch is het de dienstverlenende sector die de lijst aanvoert. De eerste positie is sinds de fusie van verschillende ziekenhuizen weggelegd voor het Albert Schweitzer Ziekenhuis. De gemeente Dordrecht, met omvangrijke diensten als Welzijn, Openbare Voorzieningen en Stadsontwikkeling, telt met enige duizenden medewerkers als banenleverancier ook volop mee.

Schilder Ary Scheffer staat al sinds 1862 op zijn sokkel op het naar hem genoemde plein.
Since 1862, artist Ary Scheffer has stood on his plinth in the square named after him.

in other ownership, with new names. The Meterfabriek is owned by the French company Schlumberger. Penn en Bauduin (bridge-builders) merged with De Groot in Zwijndrecht and became known as Grootint. And lock manufacturer Lips is now called Chubb Lips. Ship building and repair companies suffered the same fate or even disappeared for good, victims of lower wages and protectionism elsewhere in the world.

Other businesses took their place. The main industrial products these days are metal goods, machinery and optical instruments. But man-made fibres are now also a Dordrecht product, made at the DuPont de Nemours complex. The arrival of the American chemical company in the early 1960s broke the dominance of the metal industry in the Dordrecht region. Following the Orlon plant, where acrylic fibres are made, units were built for Lycra, Delrin, freon and Teflon and nowadays Viton, Surlyn, formaldehyde and Terathane are also produced. To the layman, these names mean little, but these products are the raw materials for many every-day goods: lighters, zips, ski boots, non-stick coatings, car wax, lingerie, nappies, roofing materials, milk cartons and closures for perfume bottles.

DuPont Nederland is one of the main employers in Dordrecht, with lock manufacturer Lips close behind. Another major business is Drechtwerk, an industrial workshop employing hundreds of people with learning difficulties. But the service sector heads the list with the Albert Schweitzer Ziekenhuis in first place following the merger of various hospitals. The municipality of Dordrecht, with large departments for welfare, public works and town development, is also a major source of employment, with thousands of employees.

Terrassen op het Scheffersplein.
Open-air cafés on the Scheffersplein.

Nieuwe luxe woningen langs de Riedijkshaven.
New luxury homes along the Riedijkshaven.

Wonen langs het water

Het hart van het gemeentelijk apparaat, het stadskantoor aan de Spuiboulevard, staat symbolisch tussen de oude binnenstad en de nieuwere wijken. Nieuwe woningen werden in schillen gebouwd rond de oude kern. Jarenlang was het gezicht naar buiten gericht, naar het zuiden. Het was een landinwaartse beweging, weg van het water. Water betekende angst, gevaar voor overstromingen. Dáár ging je dus niet wonen. Maar de mens heeft geleerd het water te beheersen. De angst verdween en de stedenbouwkundigen keerden weer naar het water terug. Ze buitten de ligging aan de rivieren juist uit.

Aan de Riedijkshaven verrees een luxe appartementencomplex, met adembenemend zicht over het drierivierenpunt. En voor het voormalig scheepsbouwterrein op De Staart, waar kort geleden nog bij 'De Biesbosch' schepen het water in schoven, liggen andere ambitieuze plannen klaar. Het oude werk wijkt er, wonen en cultuur nemen bezit van het gebied, dat omringd is door water. Het nieuwe stadsdeel, met behoud van historisch industriële kenmerken, krijgt de naam Stadswerven. Het vormt straks een twee-eenheid met het oorspronkelijke stadshart, dat herleeft.

De oude binnenstad raakt weer in trek. Mensen hebben er tegenwoordig veel geld voor over om te kunnen wonen in een tot luxe appartementencomplex verbouwd pakhuis of een nieuwe seniorenflat met uitzicht op de rivier. Oude pandjes, die in andere tijden al lang opgegeven zouden zijn, staan weer in de steigers. De gammelste huizen gaan neer, in hun plaats komen comfortabele appartementen. Ze raken allemaal snel bevolkt. De gelukkigsten, zij die over een vermogen beschikken, kunnen zich de woonpaleizen langs de binnenhavens en rivieren veroorloven. De aloude interieurs zijn er vaak nog ongeschonden, met marmer in de lange gangen, kunstig gestucte plafonds en lichte serres met uitzicht op de Oude Maas.

Bewoners van de oude binnenstad zijn wat betreft woonomgeving allemaal rijk. Ze treffen op korte afstand een combinatie aan van historie, water, cultuur en winkels. Die sfeer is uitzonderlijk en onvergelijkbaar met de sfeer van andere wijken. De uitersten binnen de betrekkelijk nauwe stadsgrenzen zijn enorm. Bewoners van de jongste wijken, Sterrenburg en Stadspolders,

Living along the water

The heart of the municipal bureaucracy, the civic offices on the Spuiboulevard, stands symbolically between the old town centre and the more modern districts. New houses were built progressively further out from the old centre. For years, the move was outwards, to the south, and it was a move inland, away from the water. Water meant fear, danger of flooding. Not a place to live. But people learnt to control the water. The fear disappeared and the town planners returned to the water. In fact, they exploited the sites on the rivers.

A luxury apartment complex was built on the Riedijkshaven, with a breathtaking view of the point where the three rivers meet. And there are other ambitious plans for the former shipyard on De Staart, where until recently vessels were launched into the Biesbosch. Traditional activity in this area, which is surrounded by water, has ceased and been replaced by homes and cultural attractions. The new district, which will retain its industrial features, will be called 'Stadswerven'. When it is completed, together with the revitalised town centre, it will give Dordrecht a new heart.

The old town centre is popular once again. People now have the money to live in the luxury flats converted from warehouses, or the flats built for older people, with a view over the river. Old properties which in the past would have been abandoned are surrounded by scaffolding. The most decrepit houses are demolished and replaced by comfortable flats which are all quickly occupied. The luckiest people, with plenty of money, can get a palace on an inner harbour or the river. The original interiors are often still in place, with long marble corridors, decorated plaster ceilings and airy conservatories overlooking the Oude Maas.

All the inhabitants of the old town centre enjoy a rich environment. Within a short distance, they enjoy a combination of history, water, culture and shops. The ambience is exceptional and cannot be compared with that in other districts. The extremes within this relatively small town are enormous. People in the newest districts,

ontberen een historische omgeving. Zij hebben wel iets anders: ruimte, zowel binnen als buiten hun straten en woonerven. Het wijde achterland is nabij, evenals het lonkende water.

Van de elementen ruimte en water hebben de architecten in Stadspolders optimaal gebruik gemaakt. Ruimte op zijn breedst zien de bewoners dagelijks vanuit de Sequoia, een rode ovalen woontoren te midden van lage bebouwing. Ze kijken uit over het eiland aan de ene kant en de rivier het Wantij, de spaarbekkens en de Sliedrechtse Biesbosch aan de andere kant.

Wonen op grote hoogte is nieuw voor Dordtenaren. Het is een radicale breuk in de lange traditie van laag-bij-de-gronds bouwen. Het wijkdeel De Groene Oever, met bijna vijfhonderd woningen langs het Wantij, betekent ook een doorbraak in het stedenbouwkundig denken. Stijlvol en betaalbaar wonen gaan sinds lange tijd weer samen. En het water wordt niet langer de rug toegekeerd, maar omarmd in de plannen.

Datzelfde gebeurt bij het project De Rietlanden, waarvan de naam al voldoende zegt over de bedoeling van de architecten. Respect voor het milieu is hun uitgangspunt. In het ontwerp wordt meer aan energiebesparing gedaan dan de strengste voorschriften voorschrijven. Op de daken is een begroeiing aangelegd van mossen, kruiden en gewassen. Iedere woning is uitgerust met zonnepanelen. Regenwater verdwijnt er niet langer in riolen maar gaat rechtstreeks naar het open water in de omgeving. Het baanbrekende ontwerp is rijkelijk met subsidies beloond.

Zo staat het experiment van De Rietlanden in Stadspolders tegenover de restauratie van pakhuizen in de binnenstad. Alle zielen in de stad hebben hun eigen gewenste dak. Dordrecht is de laatste jaren gegroeid in uiteenlopendheid.

Dat kan, zij het in mindere mate, ook gezegd over het bestand aan winkels. Grote delen van Dordrecht zijn als in iedere andere Nederlandse stad aan deprimerende eentonigheid onderworpen: de Etossen, HEMA's en Gall & Galls zijn vaste punten geworden in het dagelijkse rituele boodschappen doen. We zien al haast niet meer hoe hun luide reclames de historische gevels versluieren. De Voorstraat, met ruim een kilometer lengte Nederlands langste winkelstraat, is voor een groot deel feitelijk aan het zicht onttrokken. Het is een met teksten en beelden over-

Woontoren Sequoia in de wijk Stadspolders.
The Sequoia flats in the Stadspolders area.

Sterrenburg and Stadspolders, lack historic surroundings but they have something else – space – both in their streets and beyond, for the countryside and the sparkling water are close by.

The architects of the Stadspolders have made the best use of the elements of space and water. The people who live in the Sequoia, a red oval block of flats in the centre of the low-rise properties experience the space at its widest every day. To one side, they look out over the island and to the other side the Wantij river, the reservoirs and the Sliedrechtse Biesbosch. Living high up is something new for Dordrechters. It is a radical break with a long tradition of building close to the ground. The Groene Oever district, with almost five hundred homes along the Wantij, is also a breakthrough in town planning. After a long time, style and affordability in accommodation have been brought together again, and the water is not disregarded but embraced in the plans.

The same is happening in the Rietlanden (reed land) project, whose name points to the architects' aim which has respect for the environment as its basic principle. This pioneering scheme has been heavily subsidised and the designs exceed the strictest energy-saving standards, roofs are covered with mosses and plants. Each house has solar panels. Rain water does not disappear into the drains but is channelled directly into the open water in the area.

The experiment of De Rietlanden in Stadspolders is a contrast to the restoration of warehouses in the town centre. People in the town have the accommodation that suits them. In recent years, Dordrecht has gown in diversity and that can also be said, although to a lesser extent, of the shops.

Large parts of Dordrecht are like any other Dutch town, a scene of depressing uniformity with standardised chain stores as fixed points in the daily ritual of shopping. We barely notice how their brash name-boards hide the historical gables.

woekerde consumentensluis in plaats van een gekromde waterkering met karakteristieke panden. De teloorgang lijkt weinigen te deren, want het onaanzienlijkste deel van de Voorstraat
stroomt iedere dag weer vol met kopers. Ze blijven er hangen, verspreiden zich over de pleinen
of struinen door de nauwe straatjes die naar het vlakbijgelegen nieuwe winkelhart leiden.

Gezicht over de Oude Maas vanuit de achtertuin
van een pand aan de Wolwevershaven.
View of the Oude Maas from the back-garden of a house
on the Wolwevershaven.

The Voorstraat, at over a kilometre the longest shopping street in the Netherlands, has
to a large extent disappeared from view and become a jumbled consumer channel of
posters and billboards instead of a meandering street lined with distinctive properties.
But its decline does not seem to have upset many people, for the greater part of the
Voorstraat is full with shoppers every day. They hang around there, on the squares, or
stroll down the narrow streets that lead to the town's new shopping centre, nearby.

Marktdag op het Statenplein.
Market day on the Statenplein.

Fontein van het Statenplein.
The fountain on the Statenplein.

Winkels

vol

heimwee

Sfeervoller en stiller is het andere deel van de Voorstraat, dat van de Augustijnenkerk wegloopt richting Riedijk en het Papendrechtse veer. Hier onderscheidt het winkelaanbod zich zo opvallend, dat het inmiddels klanten trekt uit heel Nederland. De Voorstraat Noord vormt het hart van een cluster van bijna zestig kunst-, antiek-, tweedehandsboeken- en curiosazaken. De winkels zijn verder verspreid over de Wijnstraat, het Steegoversloot en de Vleeshouwersstraat. De eigenaren hebben besloten samen te werken onder de noemer Kunstrondje Dordt. Naast de dagelijkse openstelling ontvangen ze ook iedere eerste zondag van de maand klanten. Die komen van overal om een ontbrekende Biggles, een houten olifant, een oude trombone of toch maar een modern schilderij te kopen. De door heimwee gevoede speurtochten naar vroeger leiden naar doolhofjes vol nutteloze spullen, maar dat is juist wat ze willen. Niet het tastbare artikel is het hoogste goed, maar het kleine, ongedwongen avontuur. De echt noodzakelijke boodschappen doen ze wel op doordeweekse dagen.

De gelukszoekers van buiten ontspannen zich na het winkelen meer en meer op een terras of in een restaurant. Daar geven ook Dordtenaren zich aan over. Lang is dat niet zo vanzelfsprekend geweest. Dordrecht vormde, ondanks de nabijheid van het Bourgondische zuiden, een tamelijk zuinige gemeenschap. De mensen schilden liever zelf de aardappels dan dat ze de eerste Italiaanse of Chinese restaurants bezochten. Ook het cafébezoek bleef altijd ingetogener dan elders, wat toch met de calvinische volksaard te maken moet hebben. Er waren inwoners die niet eens wisten dat aan het Groothoofd de mooist gelegen cafés van de wijde omtrek lagen.

De sfeer veranderde onder invloed van de nieuwe Dordtenaren, door de authentieke eilandbewoners steevast als 'import' aangeduid. Ze kwamen uit Rotterdam of Breda en waren gewend aan het goede leven buitenshuis. Dordt is nog altijd geen Parijs of Amsterdam, maar met 140 cafés, cafetaria's en restaurants gaat het toch in de pas lopen met steden van vergelijkende omvang. Op het Scheffersplein weet Ary zich op zijn sokkel bij mooi weer tegenwoordig omringd door volle tafeltjes en kleurige parasollen. Ook het vernieuwde Statenplein, voorheen een tochtgat waar je je snel uit de voeten maakte, krijgt zoetjesaan het karakter van een ontmoetingsplaats. Dordtenaren zijn

Evocative

shops

The other end of the Voorstraat, from the Augustijnenkerk towards Riedijk and the Papendrecht ferry, is quieter and has more character. Here, the range of shops is so remarkable that customers are attracted from all over the Netherlands. Voorstraat Noord, the Wijnstraat, the Steegoversloot and the Vleeshouwersstraat are at the heart of a cluster of almost sixty shops selling art, antiques, second-hand books and curios whose owners have decided to work together under the name Kunstrondje Dordt. In addition to normal daily shopping hours, they are also open on the first Sunday of each month. Customers come from all over to find that missing Biggles, a wooden elephant, an old trombone or perhaps a modern painting. Their search, driven by nostalgia, leads to labyrinths full of the strangest things, but that is exactly what they want. The main thing is not the article but the little adventure undertaken for fun. Weekdays are for the shopping that has to be done.

Increasingly, these adventurers from outside choose to relax after their shopping expeditions at an open-air cafe or in a restaurant. As do Dordrechters. Not that this has been common for that long. Despite the proximity of the Burgundian south, Dordrecht was a fairly 'thrifty' community. The people preferred to prepare their own meals rather than go to those early Italian or Chinese restaurants. Going out for a drink was also less common than elsewhere, and this must have had something to do with the Calvinist temperament. Some people did not even know that one of the best located cafés for miles around was on the Groothoofd.

This atmosphere changed under the influence of the new Dordrechters, always referred to by the real islanders as 'imports'. They came from Rotterdam or Breda and were used to a good social life outside the home. Dordrecht is still no Paris or Amsterdam, but with 140 bars, cafes and restaurants it is on a par with other towns of a similar size. In good weather, Ary is now surrounded on his Scheffersplein by crowded tables and colourful parasols. The Statenplein, which used to be a windy, open space that you

Hofstraat met erachter de woontoren
van het Statenplein.
The Hofstraat with the Statenplein flats in
the background.

niet langer bang van hun pleinen. Ze spreken er met elkaar af, ontmoeten er mensen van buiten, die naar Dordt zijn gekomen omdat er alle dagen iets te doen valt. De stad legt zijn ingetogenheid af.

De omslag is gekomen met de komst van publieksevenementen, zoals Dordt in Stoom. Ook bewoners uit de regio komen dan blind af op Dordt en het water, met als middelpunt het Groothoofd. De terrassen stromen op zwoele zomeravonden vol, en als daar alle stoelen bezet zijn hangen de bezoekers hun benen gewoon over de rand van de kade – het pilsje stevig in de hand en de ogen scherend over het water. Het Groothoofd krijgt op zulke momenten vluchtig de grandeur van een metropool. Sommigen spreken dan gloedvol van 'Dordts Parijs'.

De evenementen trekken steeds meer toeristen. Het brede aanbod leverde Dordrecht in 2003 de titel 'Evenementenstad van Nederland' op. Een groeiende schare bezoekers komt op het gevarieerde vertier af. Rechttoe-rechtaan-muziek is te horen tijdens de Toeterade op de Kade, verfijnde operastemmen klinken tijdens het Belcantofestival. Laatstgenoemd muziekfestijn, in 1993 begonnen, heeft in korte tijd internationale bekendheid verworven. Liefhebbers komen in de nazomer af op de Italiaanse opera's in de besloten ruimte van 't Hof.

Andere evenementen kregen ook al snel een vaste plaats op de toeristische kalender. Dordt in Stoom trekt elke twee jaar zo'n tweehonderdduizend bezoekers, van wie velen uit Engeland. Het zijn veelal glunderende mannen in ketelpakjes en getooid met volle snorren. Drie dagen lang jagen ze jeugdherinneringen na. Ze bekloppen, strelen, voeden en berijden stoommachines in alle soorten en maten: stoomslepers, stoomijsbrekers, stoomlocomotiefjes, stoomzagers en stoombrandspuiten. Om hen heen verdringen zich ouders met kleine kinderen. Vol ontzag luisteren ze naar het gestamp van de machines en het gillen van de stoomfluiten. Voor de volwassenen is het nostalgie, voor de kleinsten een ontdekking in een nieuwe wereld.

Een heel ander publiek komt in juli af op de jaarlijkse boekenmarkt, na die in Deventer de grootste van Nederland. In de binnenstad etaleren antiquaren hun boeken en prenten in 450 kramen. Duizenden bezoekers, velen behangen met rugzakjes, schuifelen er langs en speuren naar het boek dat nog ontbrak. Het feest van de oude boeken is na een paar edities al vergroeid met het historische decor, alsof het voortkomt uit een lange traditie.

Voorstraat, drukste winkelstraat.
The Voorstraat, a busy shopping street.

would get away from as soon as possible, is also gradually taking on the feel of a real meeting place. The people of Dordrecht are no longer afraid of the town's squares. They arrange to meet each other there, or people from outside the town who have come to Dordt because there is something to do here every day. The city is shedding its modest and retiring nature.

The change came with the arrival of events like Dordrecht in Steam which attract people from the region to Dordrecht and the water, with the Groothoofd at the centre. The terraces fill up on warm summer evenings, and when all the tables are taken, the visitors simply sit with their legs over the side of the quay, tightly clutching their drinks and gazing out over the water. At such times, the Groothoofd suddenly takes on the grandeur of a metropolis. Some even speak of a 'Dordrecht Paris'.

The events are attracting increasing numbers of tourists. This wide variety of events led to Dordrecht being chosen as the country's best town for entertainment and cultural events in 2003. A growing number of visitors come to the town to enjoy the fun. Popular music can be heard during the Toeterade on the Kade. There is fine opera singing during the Belcantofestival which began in 1993 and in just a short time has acquired an international reputation with enthusiasts coming in the late summer to listen to Italian opera in the enclosed space of 't Hof.

Other events are also staking a claim in the tourist calendar. Dordrecht in Steam attracts two-hundred thousand visitors every two years, many from England, and many are happy men in boiler suits with full moustaches. For three days they recapture boyhood memories. They tap, stroke, feed and ride on steam engines of all types and sizes: steam tugs, steam ice breakers, steam locomotives, steam saws and steam fire engines. Parents with children mill around. Overawed, they listen to the beat of the engines and the shrill steam whistles. For adults it is nostalgia, for the children it is the discovery of a new world.

Muziekuitvoering van Jubal op het Scheffersplein in
het kader van het Belcanto-festival.
Performance by Jubal on the Scheffersplein during the
Belcanto festival.

A completely different public comes to the annual book market in July, the largest in
the Netherlands outside Deventer. Antiquarians display their books and prints on 450
stalls in the town centre. Thousands of visitors, many with rucksacks, rummage around
and hunt out the book that they are missing. In a just a few years, the festival of old
books has grown with the historic decor, as if it were part of a long tradition.

*Varkenmarkt bij nacht, verlicht door verkeerslichten
bij poller-afsluiting.*
*The Varkenmarkt by night, illuminated by the traffic lights
on the traffic control pillars.*

*Palen steken links en rechts de kop op in het stadsbeeld. Linksboven een
'poller', die auto's moet weren, de overige zijn kanonslopen, gebruikt
als bescherming voor bordessen en andere toegangen tot huizen.*
*Posts crop up all over town. Top left a traffic control pillar, the others are the
'gun barrels' used to protect staircases and entrances to houses.*

Te voet
de stad
verkennen

Er zijn mensen die dit soort massale samenkomsten schuwen. Ze willen de stad liever op een rustige en individualistische wijze verkennen. Te voet is de beste manier, zo blijkt al snel. Voor wie de stad vreemd is, hoeft niet te verdwalen. Het bewegwijzerde Rondje Dordt brengt ze langs de mooiste en belangrijkste plekken. Of ze stappen op de stille rondvaartboot De Dordtevaar en bekijken zo de hoge, scheve achtergevels, de onbekende stad in het water.

Bij slecht weer is er nog het Dordrechts Museum, veruit het belangrijkste museum van de stad. In elf zalen en een prentenkabinet toont het vooral de Nederlandse schilderkunst vanaf de zeventiende eeuw tot heden. In het 'Rijksmuseum van de provincie' hangen internationaal vermaarde Hollandse meesters uit de Gouden Eeuw, met topstukken van de familie Cuyp en de Dordtse leerlingen van Rembrandt.

De echte cultuurliefhebber maakt zich na het bezoek aan het museum op voor een mooie avond in Kunstmin. De vlakbij gelegen schouwburg is al ruim een eeuw het brandpunt van het culturele leven. Inmiddels is het méér dan een theatergebouw: het is een architectonisch monument van grote allure. Met behoud van J. Verheuls grondontwerp schiep architect Sybold van Ravesteyn in 1939 een sierlijk golvend interieur, feestelijk en oogstrelend. Het maakt Kunstmin tot een van de mooiere schouwburgen van het land.

De schoonheid ligt in het gebouw verborgen, zoals dat geldt voor de schoonheid van de Dordtse binnenstad. Weinigen buiten Dordrecht die ervan weten. In vergelijking met andere oud-Hollandse steden doen weinig toeristen de stad aan. Als ze komen, treffen ze een schone slaapster aan.

Een journalist van het Brabantse dagblad De Stem liep eens argeloos door de historische binnenstad. Hij wist niet wat hij zag, in de letterlijke zin van het woord. Hij kende de charme van de historische gebouwen en havens niet. 'Hoe het mogelijk is, weet niemand,' schreef hij later in zijn krant, 'maar Dordrecht is erin geslaagd om zijn schatten en pronkstukken bijna de hele twintigste eeuw verborgen te houden. Alsof er sprake was van grote geheimen, waarover je diende te zwijgen.'

Discovering
the town
on foot

There are people who avoid these crowds. They prefer to explore the town in a calmer and more individual way. It is soon apparent that the best way is on foot. Strangers to the town need not get lost. The signposted Rondje Dordrecht route takes them past the most attractive areas and main sights. Or they can board the round-trip boat De Dordtevaar to admire the tall, sloping back-walls of the unknown town in the water.

In bad weather, there is always the Dordrechts Museum, by far the most important museum in the town. It displays mainly Dutch art from the seventeenth century to today in eleven rooms and the print room. Its collection includes internationally famous Dutch masters from the Golden Age, with masterpieces by the Cuyp family and Rembrandt's Dordrecht students.

After visiting the museum, the real aficionados will go for an enjoyable evening in the nearby Kunstmin theatre which has been the focus of cultural life for over a century. It is now more than just a theatre: it is an architectural monument of great charm. In 1939, while maintaining J. Verheul's basic design, architect Sybold van Ravesteyn created a decoratively undulating interior, festive and eye-catching, which makes Kunstmin one of the most attractive theatres in the country.

The building's beauty is hidden, just like the beauty of Dordrecht town centre. Few outside Dordrecht know of it and compared with other old Dutch towns, there are few tourists. But those who do come discover a sleeping beauty. A journalist on the Brabant newspaper De Stem went unsuspectingly to the historic town centre. He could not believe what he was seeing, literally. He had no idea of the charm of the historic buildings and harbours. Later, he wrote in his newspaper, 'No-one knows how, but Dordrecht has succeeded in concealing its treasures and showpieces for almost the whole of the twentieth century. It's as if there was a great secret which you were sworn to keep.'

The journalist is not alone in his amazement about the unknown townscape. That people do not know of it, is in part down to the in-accessibility of the historic centre.

De jaarlijks boekenmarkt trekt tienduizenden bezoekers uit heel het land. Hier een 'boeken-muur' aan het begin van de Hofstraat.
The annual book fair attracts tens of thousands of visitors from all over the country. This is a 'wall of books' at the start of the Hofstraat.

Interieur van schouwburg Kunstmin, ontwerp van Sybold van Ravesteijn.
Interior of the Kunstmin theatre, designed by Sybold van Ravesteijn.

De journalist deelde zijn verbazing over het onbekende stadsbeeld met veel anderen. Dat ze het niet wisten hing samen met de betrekkelijk ontoegankelijke ligging van het historische centrum. Maar ook met de bescheiden opstelling van de Dordtenaren zelf. Over schoonheid hoefde je niet te spreken. De schuchterheid is nu definitief afgelegd. De schatbewaarders willen de buitenstaander graag hun stad tonen. Het Dordtse stadshart laat zich ten volle bewonderen.

Tot appartementencomplex verbouwd pakhuis aan de Kuipershaven. Bemiddelde huiseigenaren ontdekken meer en meer de verborgen schoonheden van de historische binnenstad.
A warehouse on the Kuipershaven, converted into flats. Increasingly, wealthy house owners are discovering the hidden beauty of the historic town centre.

But also to the modesty of the Dordrechters themselves: you don't talk about beauty. That modesty has now definitely been set aside. The custodians want to show off their town. Dordrecht's heart is there to be admired.

Biesbosch, zo gevormd na de St. Elisabethsvloed van 1421.
The Biesbosch, created by the St Elisabeth Flood of 1421.

Dordts nationale trots: De Biesbosch

Zo gesloten als de binnenstad is, zo open is de andere grote attractie: Nationaal Park De Biesbosch. Er is wel een overeenkomst: Stad en Nationaal Park laten zich maar moeilijk binnendringen. De 7100 hectare tellende Biesbosch is in Europa een van de grootste getijdengebieden, waar zoet water vrij spel heeft. Het stelsel van rivieren, kreken, wilgenbossen en grienden is voor het grootste deel alleen per kano of motorbootje te bereiken. In die onbegaanbaarheid van het wetland schuilt natuurlijk een deel van de aantrekkingskracht.

Honderdduizenden mensen komen jaarlijks af op de Biesbosch. Voor wie niet lopen of zelf varen wil, zijn er rondvaartboten. En in de diverse ontvangstcentra kan de bezoeker de Biesbosch zien in opgezette vorm, op foto of in miniatuur. Het Biesboschcentrum Dordrecht, ten zuiden van Dordrecht, staat midden in het gemakkelijk te belopen recreatiegebied De Merwelanden, onderdeel van het Nationaal Park. Het informatiecentrum in de Brabantse gemeente Drimmelen toont de natuurlijke ontwikkeling van de Biesbosch in de vorm van een maquette. Bij de Spieringsluis, grondgebied van Werkendam, ligt het Biesboschmuseum. Het toont de historie van het gebied en heeft veel aandacht voor de mensen die er hun brood verdienden: mandenmakers, biezensnijders en vissers. Ze leerden te leven met de grillen van het water.

Het wonderlijke landschap van de Biesbosch ontstond na de stormvloed van 1421, die ook voor de stad Dordrecht zo'n grote betekenis had. De natuurramp veroorzaakte een enorme binnenzee, waarin het water van de rivieren en getijdenstromingen elkaar ontmoetten. Precies op die plaatsen kon het slib en het zand van de rivieren bezinken. Zo ontstonden langzaam verhogingen, die bij eb droogvielen, de gorzen. Deze zandplaten raakten begroeid met biezen, een lange, dorstige grassoort, waaraan de Biesbosch zijn naam te danken heeft.

Streekbewoners wilden snel land winnen en begonnen zelf biezen en wilgen te planten. Daartussen schoot het riet op. Het water vond bij eb en vloed slingerend zijn weg en schuurde diepe geulen uit. Later legden mensen dijkjes aan, waarbinnen men ging wonen en werken.

Eeuwenlang hebben werklieden er de kost verdiend. In de rivieren en kreken visten ze er op paling en zalm. Op de grens van water en land sneden biezensnijders de biezen. In de grienden

Dordrecht's national pride: The Biesbosch

The other great attraction, the Biesbosch National Park, is as open as the town centre is closed, but they have one thing in common: town and National Park are difficult to get to. The 7100 hectare Biesbosch is one of the largest tidal areas in Europe where fresh water has free range. For the most part, the system of rivers, creeks, willow woods and osier beds can only be reached by canoe or motor boat and, of course, the wetlands' inaccessibility is part of the attraction.

Hundreds of thousands of people visit the Biesbosch each year. There are round trips for those who do not want to walk or sail themselves. And the visitor centres have displays, models and photos of the Biesbosch. The Biesbosch Dordrecht Visitor Centre, to the south of Dordrecht, is in the middle of the easily accessible Merwelanden recreation area, a part of the National Park. The information centre in Drimmelen in Brabant has a model of the natural development of the Biesbosch. The Biesbosch museum at the Spieringsluis, Werkendam, has a display of the history of the area and gives much attention to the people who earned a living there: basket weavers, rush-cutters and fishermen. People who learned to live with the vagaries of the water.

The peculiar landscape of the Biesbosch came about following the flood of 1421, which also had such great significance for the town of Dordrecht. The natural disaster created a huge inland sea, where the water from the rivers and tidal flows met and it is exactly in such places that the rivers gradually deposited mud and sand to create saltings, banks of land which dry out at low tide. These sandbanks became covered by a tall, thirsty type of rush, called *bies* in Dutch, which gave the Biesbosch its name.

Local people wanted to reclaim the land quickly and began to plant rushes and willows themselves. The reeds grew up in between. The water meandered with the ebb and flood of the tide and cut deep gullies. Later, the people built dykes that they could live and work behind.

For centuries, people have earned a living here. They fished in the rivers and creeks for eels and salmon. At the edge of the water and land, the reed-cutters cut reeds. In

hakten de griendwerkers onder de meest primitieve omstandigheden de wilgentakken, onder meer gebruikt voor de versteviging van dijken. En de rietsnijders hadden er ook volop werk.

De meeste mannen verbleven er de hele week, ook 's nachts. Ze zijn er nog wel, de handarbeiders, maar gering in aantal want de handel is vrijwel stilgevallen. Vrijwilligers nemen hun werk over, zoals het snoeien van de wilgen. In de bloemrijke graslanden van de Sliedrechtse Biesbosch zijn vooral zomers nog 'vaarboeren' actief. Met hun schuiten komen ze van over de rivieren om er het voedselrijke hooi op te halen. Vroeger was het land hun eigendom, nu pachten ze de landbouwgebieden van Staatsbosbeheer. Ze kunnen nog vertellen over de grashutten, waarin ze de zwoele zomernachten doorbrachten. De meegebrachte geit zorgde 's morgens voor verse melk. Het zijn verhalen uit een vervlogen tijd. Net als de werklui slaapt de vaarboer tegenwoordig thuis.

Landbouwgebied op zuidpunt van het eiland.
Agricultural area to the south of the island.

Hoeve langs de Zeedijk.
Farmhouse along the Zeedijk.

the osier beds, the willow workers operated under the most primitive conditions cutting the willow branches to be used for reinforcing the dykes.

Most of the men stayed all week, including overnight. There are still some manual workers, but their numbers have fallen as the trade has almost died out. Volunteers have taken over some of the work, like pollarding the willows. During the summer, the 'floating farmers' work in the flower-rich meadows of the Sliedrechtse Biesbosch, coming along the rivers with their barges to collect the hay. In the past they owned the land, now they lease the agricultural areas from the Dutch forestry commission. They can still tell you of the grass huts where they spent the sultry summer nights and the goats they took along for fresh milk in the morning. But these are tales of a long-lost era. Like the workers, the floating farmers now sleep at home.

Paarden in avondlicht, even ten zuiden van de wijk Sterrenburg.
Horses in the twilight, just south of the Sterrenburg neighbourhood.

Langs verruigde rietvelden

De grashutten zijn uiteengevallen. Enkele van de vroegere slaapplaatsen, zoals griendketen, zijn nog wel in de dichte begroeiing terug te vinden. Met kano's zijn ze goed te bereiken, maar ook speciaal uitgezette natuurpaden voeren er wel langs. De paden bereiken ook graslanden en verruigde rietvelden. Onderweg komt de wandelaar planten tegen die alleen gedijen in een vochtig tot nat milieu. Uniek voor de Biesbosch zijn de driekantige bies en de gele spindotter, een moerasplant die nergens anders ter wereld voorkomt.

Het gebied kent ook zijn specifieke dieren, zoals de aardmuis en de zeldzame Noordse woelmuis. Ze laten zich zelden zien. Schuwheid kenmerkt ook de bever, die zich sinds zijn terugkeer in 1988 weer thuis lijkt te voelen in het Nationaal Park. Boswachters komen regelmatig kapotgeknaagde bomen en takken tegen, een teken van welstand. De meeste bevers, enkele tientallen in totaal, leven in het Brabantse deel van de Biesbosch, een minderheid in het Dordtse deel.

Tot de schuwste onder de dieren behoren ook enkele vogelsoorten. Blauwborst, roerdomp, purperreiger, lepelaar, kwak en kwartelkoning mijden mensen en houden zich het liefst schuil in één van de drie grote, voor bezoekers ontoegankelijke natuurkernen in de Biesbosch. Vooral roofvogels nemen in aantal toe. Boven bepaalde terreinen kan men, met veel geluk, wel eens hoog in de lucht een zeearend waarnemen. Ondanks de aanwezigheid van recreanten is de Biesbosch voor veel vogels een belangrijk fourageer- en broedgebied.

De omstandigheden in de zoete delta veranderden eeuwenlang traag voor plant en dier. Het gebied stond in directe verbinding met de zee. Iedere dag liepen de kreken als gevolg van de eben-vloedwerking tweemaal vol en tweemaal leeg. Het verschil tussen hoog en laag water was groot: twee meter voor het hele gebied. Het water werd zoeter.

In 1970 trad een schoksgewijze verandering op, door mensenhand in gang gezet. Het Haringvliet werd afgesloten, en daarmee de opening naar de zee. Was de Biesbosch voorheen dynamisch, nu werd hij kalmer. De getijdenverschillen werden gering, vooral in het Brabantse deel. Planten en dieren ondervonden de gevolgen: bepaalde soorten verdwenen, andere kwamen er voor terug. De natuur moest op zoek naar een nieuw evenwicht.

Past wild reed-fields

The grass huts have fallen down. A few of the old sleeping places, such as osier beds, can still be found in the thick undergrowth. They can be reached easily by canoe, but specially-made nature trails also go past them. The paths also reach the grassland and wild reed-fields. On the way, the walker discovers plants which thrive only in a damp or wet environment including bulrushes and the yellow *spindotter*, a marsh marigold which is found nowhere else in the world.

The area also has its own animals, such as the short-tailed vole and the rare root vole. They are seldom seen and another shy creature is the beaver, which seems to have made itself at home in the National Park since its return in 1988. Park wardens frequently discover trees and branches which have been gnawed through; a promising sign. Most of the beavers, a few dozen in all, live in the Brabant part of the Biesbosch, with a small minority in the Dordrecht part.

Among the shyest creatures are some of the birds. Bluethroat, bittern, purple heron, spoonbill, night heron and corncrake avoid people and prefer to shelter in one of the three large reserves in the Biesbosch which are closed to the public. Raptors in particular are increasing in number. With a bit of luck, it is possible to see a white-tailed eagle high in the air. Despite the tourists, the Biesbosch is an important feeding and breeding ground for many birds.

Over the centuries, the fresh water delta changed only slowly for the flora and fauna. The area was linked directly with the sea. The creeks filled and emptied twice a day with the ebb and flood of the tide. The tidal range was large: two metres over the whole area. The water became fresher. Then in 1970 there was a sudden change, brought about by man. The Haringvliet was closed off, and with it the opening to the sea. Whereas the Biesbosch had previously been dynamic, it was now calmer. The rise and fall in the tide was less, especially in the Brabant part. Plants and animals faced the consequences: some types died out, others flourished. Nature had to find a new balance.

Op de zuidpunt van het Eiland van Dordrecht.
The southern point of Dordrecht island.

De overgang is nog niet voltooid, en nu al grijpt de mens weer in. Hij wil de tijd terugdraaien. Landbouwgrond, ooit op het water veroverd, wordt op grote schaal aan de Biesbosch teruggegeven. Natuur is heiliger dan gecultiveerd land. Maar de echte verandering moet nog komen: de sluizen van het Haringvliet gaan weer gedeeltelijk open. Hoog en laag water gaan groter verschil maken. Het zoete water wordt zouter en krijgt zijn vertrouwde vrije loop terug. De mens voelt zich weer meester over de zee.

Overzetpontje bij Biesboschcentrum.
Ferry at the Biesbosch visitors' centre.

The transition is not yet complete, and now man is taking action again. He wants to put back the clock. Large parts of the agricultural land, which had once been reclaimed from the water, are being given back to the Biesbosch. Nature is revered more than cultivated land. But the real change has yet to come: the Haringvliet sluices are to be partially reopened. There will be a greater difference between high and low water. The fresh water will become saltier and recover its old freedom. People again feel masters of the seas.

*Golfers slaan hun balletje op het terrein van Crayestein, nabij de
Hollandse Biesbosch.*
Golfers on the Crayestein course, near the Hollandse Biesbosch.

Botenparade tijdens de tweejaarlijkse manifestatie
Dordt in Stoom.
*Parade of ships during the 'Dordt in Steam' festival held
every other year.*

Festival History Live op de Lange IJzeren Brug.
The History Live Festival on the Lange IJzeren Brug.

Geschiedenis herleeft tijdens History Live bij Grote Kerk.
Living history during History Live at the Grote Kerk.

Straattheater op Statenplaats.
Street theatre on the Statenplaats.

Dansen tijdens het Rainbow muziekfestival.
Dancing during the Rainbow music festival.

Glijden over het water van de Voorstraatshaven, bij
de gotische achtergevel van het Stadhuis.
*Floating across the water of the Voorstraatshaven, by the
gothic rear façade of the town hall.*

Geveltop van pand hoek Kuipershaven/Schrijverstraat.
Gable point of a house on the corner of the Kuipershaven/Schrijverstraat.

Interieur pand West-Indisch Huis, Wijnstraat 87.
Interior of the West-Indisch Huis, 87 Wijnstraat.

Familie Otten in de erker van hun woning aan de Wolwevershaven 21.
The Otten family in the window of their house at 21 Wolwevershaven.

Zee van zonnenbloemen bij het Maasplaza, rechts,
en de Kamer van Koophandel, links.
Sea of sunflowers at the Maasplaza, right, and the
Chamber of Commerce, left.

Achter het geluidsscherm langs de A16.
Behind the noise barrier along the A16.

Wonen achter glas in Dubbeldam.
Living behind glass in Dubbeldam.

Cor van Dorp, kunstenaar, in zijn woning aan het Steegoversloot.
Cor van Dorp, artist, in his home on the Steegoversloot.

Colofon/Colophon

© Fotografie/Photography: Marco de Nood,
© Luchtfotografie/Aerial photography: Karel Tomeï
Tekst/Text: Frits Baarda
Ontwerp/Design: Manifesta Rotterdam, Karin Nas-Verheijen
Vertaling/Translation: Peter Smethurst
Druk & Lithografie /Printing & Lithography: BalMedia bv

© Scriptum Publishers
ISBN 90 5594 327 4